MODERNE EN KLASSIEKE VOORNAMEN
UIT DE HELE WERELD

MODERNE EN KLASSIEKE
VOORNAMEN
UIT DE HELE WERELD

SON TYBERG

Deltas

Woord vooraf

Een naam kiezen voor een nieuwe wereldburger is niet zo eenvoudig. Het is het eerste geschenk dat je aan je kind geeft, en in tegenstelling tot een knuffelbeer of een muziekbal, zal die naam een leven lang moeten meegaan. Bovendien is de keuze aan voornamen enorm groot. Alleen al in Nederland en Vlaanderen zijn er meer dan 65.000 geregistreerde voornamen, en dan zijn er nog zoveel namen uit andere taalgebieden die je mooi in de oren klinken.

Dit boek wil je helpen bij de keuze van een voornaam. Het bestaat uit twee delen.

Deel 1

Het eerste deel, van pagina 9 tot en met 156, is het meest lijvige. Hierin vind je een alfabetische opsomming van voornamen met hun oorsprong en betekenis. De voornamen worden telkens gevolgd door m (mannelijk) of v (vrouwelijk). Bij voornamen die zowel aan jongens als aan meisjes worden gegeven, vind je m/v.

In dit deel kun je verschillende soorten voornamen vinden:

Klassieke voornamen

Dat zijn de voornamen geput uit de Klassieke Oudheid van Grieken en Romeinen, uit de mythologie en de bijbel, uit de taal van onze voorouders: de Germanen. Vaak komen deze voornamen ouderwets over, maar ze werden in dit deel opgenomen omdat ze de basis zijn van tal van hedendaagse namen die hiervan zijn afgeleid.

Bij deze klassieke voornamen vind je telkens een woordje uitleg: de oorsprong van de naam en de betekenis ervan.

Afgeleide voornamen

Vaak gaat het om verkorte versies van klassieke voornamen, om varianten of om combinaties. Bij deze namen wordt voor meer uitleg telkens verwezen naar de basisnaam of -namen.

Fantasienamen

Een aantal voornamen vinden hun oorsprong in de fantasie. Bijvoorbeeld voornamen van figuren uit romans en gedichten. Of voornamen die verwijzen naar bloemen, edelstenen, maanden...

Voornamen uit andere taalgebieden

Tal van voornamen die je in het Nederlandse taalgebied kunt horen, vinden hun oorsprong in andere taalgebieden. In dat geval vind je tussen haakjes telkens het land van oorsprong. Het zijn deze voornamen die ook zijn opgenomen in het tweede deel van dit boek.

Deel 2

Het tweede deel, van pagina 157 tot en met 189, bestaat uit een aantal lijsten met voornamen die hun oorsprong vinden in andere taalgebieden. Deze lijsten zijn alfabetisch gerangschikt.

Wil je voor je kind een voornaam die Frans, Engels, Slavisch of anderstalig klinkt, dan bieden deze lijsten uitkomst. Je vindt er een selectie van voornamen die je snel kunt overlopen. Liefst hardop, zodat je de klank van de naam kunt "proeven". Het staat je vrij de spelling van deze namen aan te passen aan het Nederlands.

Heb je een voornaam in een van deze lijsten gevonden en wil je de betekenis ervan kennen, dan kun je de naam in het eerste deel terugvinden.

Aafje *v* (Fries) Zie Afra.

Aafke *v* (Fries) Vrouwelijke vorm van Ave.

Aagje *v* Zie Agatha.

Aagt *v* Zie Agatha.

Aaldert *m* Zie Adelhard.

Aalt *m* De betekenis van deze naam is onzeker. Mogelijk is hij afgeleid van Agiwald, samengesteld uit de Germaanse stamvormen *agi* (zwaard) en *wald* (heersen). De betekenis is dus: "heerser met het zwaard".

Aaltine *v* (Fries) Vrouwelijke vorm van Aalt.

Aardine *v* Vrouwelijke vorm afgeleid van Arnoud.

Aarnoud *m* Zie Arnoud.

Aaron *m* Een van oorsprong Hebreeuwse naam met als betekenis "de verlichte".

Aartie *v* (Fries) Vrouwelijke vorm afgeleid van Arnoud.

Ab *m* Zie Abraham of Adelbert.

Abby *v* (Engels) Zie Abigail.

Abdoel *m* (Arabisch) Zie Abdullah.

Abdoellah *m* (Arabisch) Zie Abdullah.

Abdul *m* (Arabisch) Zie Abdullah.

Abdullah *m* (Arabisch) Betekenis: "knecht van Allah". Ook **Abdulla** gespeld.

Abe *m* (Fries) Zie Adelbert of Alberik.

Abel *m* Hebreeuwse naam die "adem" of "het vergankelijke" betekent.

Abelone *v* (Scandinavisch) Vrouwelijke vorm afgeleid van Apollonius.

Abeltje *v* Vrouwelijke vorm van Abel.

Äbi *m* (Scandinavisch) Zie Abraham.

Abigail *v* Hebreeuwse vrouwennaam, ook **Abigaël** gespeld, met als betekenis "vreugde van de vader".

Abraham *m* Hebreeuwse naam die in de bijbel de betekenis "vader van veel volkeren" kreeg. De oorspronkelijke vorm was Abram, met als betekenis "verheven vader".

Abram *m* Zie Abraham.

Achiel *m* Zie Achilles.

Achilles *m* Oude Griekse naam waarvan de betekenis onbekend is. De naam kreeg bekendheid door de Griekse held Achilles, wiens enige kwetsbare plek zijn hiel was.

Achim *m* Zie Joachim.

Ackelien *v* (Fries) Vrouwelijke vorm afgeleid van Age.

Ad *m* Zie Adriaan.

Ada *v* Een van oorsprong Hebreeuwse naam die "schoonheid" betekent.

Adagonda *v* Samenstelling van de Germaanse stamvormen *adal* (edel) en *gund* (strijd). Betekenis: "edele strijder".

Adalie *v* Zie Adelheid.

Adalina *v* Vrouwelijke vorm afgeleid van Adelain.

Adam *m* Hebreeuwse naam met als letterlijke betekenis "mens". De naam wordt etymologisch in verband gebracht met *adama* (bodem) en *Edom* (rood).

Addie *v* Zie Ada.

Ade *m* (Fries) Zie Adelbert.

Adélaïde *v* (Frans) Zie Adelheid.

Adelain *m* Vlaamse naam met de Germaanse stam *adal* (edel).

Adelbert *m* Samenstelling van de Germaanse stamvormen *adal* (edel, adel) en *berht* (schitterend). Betekenis: "door adel schitterend".

Adèle *v* (Frans) Afleiding van een ingekorte Germaanse naam met de stam *adal* (edel).

Adelhard *m* Samenstelling van de Germaanse stamvormen *adal* (edel) en *hard* (hard, sterk). Betekenis: "edele sterke".

Adelheid *v* Samenstelling van de Germaanse stamvormen *adal* (edel) en *heid* (soort, geslacht). Betekenis: "van edele afkomst".

Adelhilde *v* (Duits) Samenstelling van de Germaanse stamvormen *adal* (edel) en *hild* (strijd). Betekenis: "edele strijdster".

Adelien *v* Vrouwelijke vorm afgeleid van Adelain.

Adelina *v* Vrouwelijke vorm van Adelain.

Adelinde *v* (Duits) Samenstelling van de Germaanse stamvormen *adal* (edel) en *lind* (slang of schild van lindehout). De slang was bij de Germanen de bewaker van schatten.

Adelmar *m* Samenstelling van de Germaanse stamvormen *adal* (adel) en *mâr* (vermaard). Betekenis: "door adel vermaard".

Adelwald *m* (Duits) Samenstelling van de Germaanse stamvormen *adal* (edel) en *wald* (heersen). Betekenis: "edele heerser".

Aderik *m* (Fries) Tweestammige Germaanse naam met als betekenis "machtig (of rijk) door zijn aard".

Adina *v* Zie Adine.

Adinda *v* (Indisch) De naam, die "eerste dochter" betekent, raakte bekend door het verhaal "Saïdja en Adinda" van Multatuli.

Adine *v* Afleiding van een naam die begint met de Germaanse stam *adal* (edel, adel).

Ado *m* (Duits) Zie Adolf.

Adolf *m* Samenstelling van de Germaanse stamvormen *adal* (edel) en *wolf* (wolf). Betekenis: "edele wolf". Sinds Hitler is de naam als zodanig in onmin geraakt.

Adolfo *m* (Italiaans) Zie Adolf.

Adolphe *m* (Frans) Zie Adolf.

Adorée *v* (Frans) Betekent letterlijk "aanbedene".

Adriaan *m* Van de Latijnse naam

(H)adrianus, die betekent: "afkomstig uit Adria". Adria, in de buurt van Venetië, heeft ook zijn naam gegeven aan de Adriatische Zee.

Adrian *m* (Engels) Zie Adriaan.

Adriana *v* Vrouwelijke vorm van Adriaan.

Adriane *v* Vrouwelijke vorm van Adriaan.

Adrianne *v* Vrouwelijke vorm van Adriaan.

Adriano *m* (Italiaans) Zie Adriaan.

Adrie *m/v* Zie Adriaan.

Adrien *m* (Frans) Zie Adriaan.

Adrienne *v* (Frans) Vrouwelijke vorm van Adriaan.

Adwin *m* Combinatienaam van Ad en Edwin.

Ady *v* Vrouwelijke vorm afgeleid van Adriaan.

Aegidius *m* Naam afgeleid van het Griekse *aigis* (geitenvel), dat later de betekenis kreeg van "schild (van Zeus)". Ook **Egidius** gespeld.

Aemilius *m* Een Latijnse naam die in verband wordt gebracht met het Griekse *(h)aimulos* (zacht, vriendelijk) of met het Latijnse *aemulus* (mededinger). Ook **Emilius** gespeld.

Afifa *v* (Fries) Vrouwelijke vorm afgeleid van Ave.

Afra *v* In het Latijn betekent deze naam "de Afrikaanse", in het Hebreeuws "stof".

Aga *v* (Fries) Vrouwelijke vorm die afgeleid is van Age.

Agaath *v* Zie Agatha.

Agascha *v* (Slavisch) Zie Agatha.

Agatha *v* Naam afgeleid van het Griekse *agathos*, dat "goed" betekent.

Agda *v* (Scandinavisch) Zie Agatha.

Age *m* (Fries) Naam afgeleid van de Germaanse stam *agi* of *agil*, dat "zwaard" betekent.

Agi *v* (Duits) Zie Agatha of Agnes.

Agna *v* (Scandinavisch) Zie Agnes.

Agnes *v* Van het Griekse *hagnos* (heilig, kuis) of het Latijnse *agnus* (lam). Ook **Agnès** (Frans).

Agneta *v* Zie Agnes.

Agnete *v* Zie Agnes.

Agnita *v* Zie Agnes.

Agnola *v* (Italiaans, Spaans) Zie Angela.

Ahmed *m* (Arabisch) Betekent letterlijk "de voortreffelijke".

Aida *v* (Italiaans) De naam raakte vooral bekend door de gelijknamige opera van Verdi en is waarschijnlijk afgeleid van het Franse werkwoord *aider* (helpen).

Aileen *v* (Keltisch) Zie Eileen.

Aimé *m* (Frans) Zie Amatus. Ook **Aymé** gespeld.

Aimée *v* (Frans) Vrouwelijke vorm van Aimé. Ook **Aymée** gespeld.

Ake *m* (Fries) Zie Age.

Akelei *v* (Duits) Naam van een bloem.

Akim *m* (Slavisch) Zie Joachim.

Akke *v* (Fries) Vrouwelijke vorm afgeleid van Age.

Akkelien *v* (Fries) Vrouwelijke vorm afgeleid van Age.

Akkie *v* (Fries) Vrouwelijke vorm afgeleid van Age.

Aksel *m* (Scandinavisch) Zie Alexander.

Akulina *v* (Slavisch) Zie Akelei.

Alain *m* (Frans) Zie Alan.

Alajos *m* (Hongaars) Zie Alois.

Alan *m* (Engels) Een van oorsprong Keltische naam waarvan de betekenis onzeker is.

Alana *v* (Engels) Vrouwelijke vorm van Alan.

Alard *m* Zie Adelhard.

Alba *v* (Spaans) Een verkorte vorm van de naam **Alborado**, met als betekenis "witte stralen" of "dageraad".

Alberich *m* (Duits) Zie Alberik.

Alberik *m* Samenstelling van de Germaanse stamvormen *alf* (bovenaards wezen, elf) en *rîk* (rijk, machtig, heersend over). Betekenis: "heerser van de elfen". Alberik was in de Germaanse mythologie de elfenkoning. De Franse vorm van deze naam is **Oberon**.

Albert *m* Zie Adelbert.

Alberta *v* Vrouwelijke vorm afgeleid van Adelbert. Ook **Alberte** (Frans) gespeld.

Albertine *v* Vrouwelijke vorm afgeleid van Adelbert.

Albin *m* Naam afgeleid van het Latijnse *albus* (wit) of een variant van **Albwin** (zie aldaar).

Albina *v* Vrouwelijke vorm van Albin.

Albwin *m* (Duits) Samenstelling van de Germaanse stamvormen *alf* (bovenaards wezen, elf) en *win* (vriend). Een elfenvriend dus.

Alco *m* (Fries) Zie Ale.

Alda *v* (Italiaans) Vrouwelijke vorm van Aldo.

Aldemar *m* Samenstelling van de Germaanse stamvormen *ald* (oud, ervaren) en *mâr* (vermaard). Betekenis: "vermaard door zijn wijsheid".

Aldert *m* (Fries) Zie Adelhard.

Aldine *v* Vrouwelijke vorm afgeleid van Adelain.

Aldo *m* (Italiaans) Naam afgeleid van de Germaanse stam *adal* (adel, edel) of *ald* (oud, ervaren).

Aldous *m* (Engels) Waarschijnlijk een gelatiniseerde Germaanse naam met de stam *ald* (oud, ervaren).

Aldwin *m* (Engels) De naam betekent "edele vriend", van de Germaanse stamvormen *adal* en *win*.

Ale *m* (Fries) Verkorte vorm van namen met de Germaanse stam *adal* (adel, edel).

Alec *m* (Engels) Zie Alexander.

Alef *m* (Fries) Zie Adolf.

Aleida *v* Zie Adelheid.

Alejandra *v* (Spaans) Vrouwelijke vorm afgeleid van Alexander.

Alena *v* (Hongaars) Zie Magdalena.

Alene *v* (Slavisch) Zie Helena.

Alert *m* (Fries) Zie Adelhard.

Alessa *v* Vrouwelijke vorm afgeleid van Alexander.

Alessandra *v* (Italiaans) Vrouwelijke vorm afgeleid van Alexander.

Alessandro *m* (Italiaans) Zie Alexander.

Alessio *m* (Italiaans) Zie Alexius.

Aletta *v* (Fries) Zie Adelheid.

Alette *v* (Fries, Frans) Zie Adelheid.

Alex *m* Zie Alexander.

Alexa *v* Vrouwelijke vorm afgeleid van Alexander.

Alexander *m* De naam betekent "beschermer" en is een samenstelling van het Griekse *aleksein* (beschermen) en *andros* (man).

Alexandra *v* Vrouwelijke vorm van Alexander.

Alexej *m* (Slavisch) Zie Alexander.

Alexine *v* (Frans) Vrouwelijke vorm afgeleid van Alexander.

Alexis *v* (Frans) Vrouwelijke vorm afgeleid van Alexander.

Alexius *m* Griekse naam met als betekenis "helper, verdediger". Het kan ook een verkorte vorm van **Alexander** zijn (zie aldaar).

Alf *m* Zie Adolf.

Alfons *m* Mogelijk een samenstelling van de Germaanse stamvormen *adal* (edel) en *funs* (bereid tot). De betekenis is dan: "hij die tot alles bereid is". Het eerste deel kan ook afgeleid zijn van de Germaanse stam *hadu* (strijd) en betekent dan: "bereid tot de strijd". Ook **Alphonse** (Frans) gespeld.

Alfonsine *v* Vrouwelijke vorm van Alfons. Ook **Alphonsine** (Frans) gespeld.

Alfred *m* Samenstelling van de Germaanse stamvormen *alf* (bovenaards wezen, elf) en *râd* (raad). Betekenis: "hij die raad van elfen krijgt".

Alger *m* (Engels) Samenstelling van de Germaanse stamvormen *adal* (edel) en *gêr* (speer). Betekenis: "edele met de speer".

Algreet *v* Combinatienaam van Adelheid en Margareta.

Ali *m* (Arabisch) Naam die "hoog, verheven" betekent.

Alian *v* Combinatienaam van Alida en Anna.

Alica *v* Zie Adelheid.

Alice *v* (Engels) Zie Adelheid.

Alicia *v* (Engels) Zie Adelheid.

Alida *v* Zie Adelheid.

Alide *v* Zie Adelheid.

Alieke *v* Zie Adelheid.

Alies *v* Zie Adelheid.

Alijda *v* Zie Adelheid.

Alina *v* Vrouwelijke vorm afgeleid van Adelain.

Alinda *v* Zie Adelinde.

Aline *v* (Frans) Zie Adelinde.

Alisa *v* (Slavisch) Zie Adelheid.

Alissa *v* (Slavisch) Zie Adelheid.

Alissia *v* (Engels) Zie Adelheid.

Alja *v* (Slavisch) Vrouwelijke vorm afgeleid van Alexander.

Aljoscha *m* (Slavisch) Zie Alexander.

Alker *m* (Fries) Zie Alger.

Alla *v* (Scandinavisch) Vrouwelijke vorm afgeleid van Alexander.

Allan *m* (Engels) Zie Alan.

Allard *m* (Fries) Zie Adelhard.

Allian *m* Combinatienaam van Alan en Johannes.

Ally *m* (Engels) Zie Alan.

Almar *m* De naam betekent "vermaard om zijn ervaring", van de Germaanse stamvormen *ald* (oud, ervaren) en *mâr* (vermaard).

Almira *v* (Arabisch) Het Arabische *amiera* betekent "prinses".

Alof *m* Zie Adolf.

Alois *m* Verkorte vorm van de naam **Aloisius**, die vermoedelijk een gelatiniseerde vorm is van het Germaanse *al wîsi*, met als betekenis "in alle opzichten wijs".

Aloisio *m* (Italiaans) Zie Alois.

Alouette *v* (Frans) Frans voor "zwaluw".

Alrik *m* Samenstelling van de Germaanse stamvormen *al* (zeer, heel erg) en *rîk* (rijk, machtig). De betekenis is dus: "de zeer machtige".

Altina *v* (Fries) Zie Adelheid.

Alto *m* (Italiaans) Zie Aldo.

Alwin *m* Samenstelling van de Germaanse stamvormen *adal* (edel) en *win* (vriend). Betekenis: "edele vriend".

Alwyn *m* (Engels) Zie Alwin.

Alydia *v* Combinatienaam van Aleida en Lydia.

Amabel *v* Zie Amabilis.

Amabilis *v* Latijnse naam die letterlijk "beminnelijk, lieflijk" betekent.

Amadeus *m* Latijnse naam met als betekenis "hij die God bemint".

Amalia *v* Naam afgeleid van de Germaanse stam *amal*, die "ingespannen strijdend" betekent.

Amalie *v* Zie Amalia.

Amalina *v* Zie Amalia.

Amand *m* (Duits, Frans) Zie Amandus.

Amanda *v* (Duits, Frans) Vrouwelijke vorm van Amandus.

Amandine *v* (Frans) Vrouwelijke vorm van Amand.

Amandus *m* Latijnse naam die letterlijk "liefelijk, beminnelijk" betekent.

Amarant *v* Naam van een bloem die het symbool van de onsterfelijkheid is. Van het Griekse *ama-rantos* (eeuwig bloeiend of onverwelkbaar).

Amarins *m* Zie Emerentius.

Amaryllis *v* Naam van een plant (Amaryllis belladonna). Van het Griekse *amarussein*, dat "glanzen, twinkelen" betekent.

Amata *v* (Duits) Vrouwelijke vorm van Amatus.

Amatus *m* Latijnse naam die letterlijk "de geliefde" betekent.

Amber *v* Naam die verwijst naar het Arabische woord *ambar*, dat amber (een reukstof) betekent. Amber is symbool voor het zonlicht.

Ambrogio *m* (Italiaans) Ook **Ambrosio** gespeld. Zie Ambrosius.

Ambrose *m/v* (Engels) Zie Ambrosius.

Ambrosius *m* Naam afgeleid van het Griekse *ambrosios* (onsterfelijk). Ambrozijn was godenspijs, die de goden onsterfelijkheid verleende.

Ame *m/v* Verkorte vorm van een naam met de Germaanse stam *amal* (ingespannen strijdend).

Amedee *m* Zie Amadeus.

Amédée *m* (Frans) Zie Amadeus.

Amel *v* Zie Amalia.

Amelia *v* Zie Amalia.

Amelie *v* Zie Amalia.

Amie *v* (Frans) Betekent letterlijk "vriendin".

Amieke *v* Vrouwelijke vorm afgeleid van Ame.

Amit *m* (Indisch) Afgeleid van *amitâyus*, dat Sanskriet is voor "onsterfelijk".

Amke *v* Vrouwelijke vorm van Ame.

Amy *v* (Engels) Vrouwelijke vorm afgeleid van Amatus.

An *v* (Engels) Zie Anna.

Ana *v* (Slavisch) Zie Anna.

Anastasia *v* (Slavisch) Vrouwelijke vorm van Anastasius.

Anastasio *m* (Italiaans) Zie Anastasius.

Anastasius *m* Van het Griekse *anastasis* (opstanding).

Anatole *m* (Frans) Van het Griekse *anatolè* (zonsopgang). Ook de aardrijkskundige naam Anatolië is hiervan afgeleid.

Anatolij *m* (Slavisch) Zie Anatole.

Anca *v* (Fries) Zie Anna of vrouwelijke vorm afgeleid van Ane.

Ancella *v* Zie Ancilla.

Ancilla *v* Latijnse naam die "slavinnetje" of "dienstmeisje" betekent.

Anco *m* (Fries) Zie Ane.

Anders *m* (Scandinavisch) Zie Andreas.

Andert *m* Naam afgeleid van de Germaanse naam Andward, met als stamvormen *and* (moed, strijdlust) en *wardan* (behoeden).

Andica *v* (Hongaars) Vrouwelijke vorm afgeleid van Andreas.

Andor *m* (Hongaars) Zie Andreas.

Andra *v* Vrouwelijke vorm afgeleid van Andreas.

András *m* (Hongaars) Zie Andreas.

André *m* (Frans) Zie Andreas.

Andrea *v* (Duits) Vrouwelijke vorm van Andreas. Ook **Andréa** (Frans) gespeld.

Andreane *v* (Slavisch) Vrouwelijke vorm afgeleid van Andreas.

Andreas *m* Naam afgeleid van het Griekse *andreios*, dat "mannelijk, dapper" betekent.

Andrée *v* (Frans) Vrouwelijke vorm van Andreas.

Andrej *m* (Slavisch) Zie Andreas.

Andrejana *v* (Slavisch) Vrouwelijke vorm afgeleid van Andreas.

Andrew *m* (Engels) Zie Andreas.

Andria *v* (Engels) Vrouwelijke vorm afgeleid van Andreas.

Andries *m* Zie Andreas.

Andruscha *m* (Slavisch) Zie Andreas.

Andy *m/v* (Engels) Zie Andreas.

Ane *m* (Fries) Vermoedelijk een verkorte vorm van namen met de Germaanse stam *arn* (arend).

Angel *v* Zie Angela.

Angela *m/v* Naam afgeleid van het Griekse *angelos* (engel).

Angele *v* Ook **Angèle** (Frans) gespeld. Zie Angela.

Angelica *v* Zie Angela.

Angelico *m* (Italiaans) Zie Angela.

Angelien *v* Zie Angela.

Angelina *v* (Italiaans, Spaans) Zie Angela.

Angéline *v* (Frans) Zie Angela.

Angélique *v* (Frans) Zie Angela.

Angella *v* Zie Angela.

Angelle *v* Zie Angela.

Angelo *m* (Italiaans) Zie Angela.

Angie *v* (Engels) Zie Angela.

Ania *v* (Scandinavisch) Zie Anna.

Anica *v* Zie Anna.

Aniek *v* Zie Anna.

Aniela *v* (Slavisch) Zie Angela.

Anik *v* (Duits) Zie Anna.

Anika *v* (Scandinavisch) Zie Anna.

Anina *v* (Scandinavisch) Combinatienaam van Anna en Nina.

Anita *v* (Italiaans) Zie Anna.

Anitya *v* (Indisch) Afgeleid van het Sanskriet *anattâ*, dat "afwezigheid van een zelf" betekent.

Anja *v* (Slavisch) Zie Anna.

Anjo *m* (Fries) Zie Ane.

Anjo *m* (Slavisch) Zie Angela.

Anjuschka *v* (Slavisch) Zie Anna.

Anjuta *v* (Slavisch) Zie Anna.

Anka *v* Zie Anna.

Anka *v* (Slavisch) Zie Anna.

Anke *v* Zie Anna.

Ankie *v* (Fries) Zie Anna.

Anko *m* (Fries) Zie Ane.

Ann *v* (Engels) Zie Anna.

Anna *v* Dit is een Griekse naam die is afgeleid van het Hebreeuwse *hannah* (genadig, liefelijk). De naam is door de eeuwen heen steeds populair geweest. Hij dankt zijn grote verbreiding aan Anna, de moeder van Maria.

Annabel *v* Combinatienaam van Anna en Sibylle of Isabelle.

Annabelle *v* Combinatienaam van Anna en Sibylle of Isabelle.

Annalena *v* Combinatienaam van Anna en Helena.

Annamarie *v* Combinatienaam van Anna en Maria.

Anne *m/v* Zie Anna.

Annebel *v* Combinatienaam van Anna en Sibylle of Isabelle.

Anneleen *v* Combinatienaam van Anna en Helena of Magdalena.

Annelein *v* Combinatienaam van Anna en Madeleine.

Anneli *v* (Duits) Zie Anna.

Annelie *v* (Scandinavisch) Combinatienaam van Anna en Louisa.

Annelien *v* Combinatienaam van Anna en Carolien of Paulien.

Annelies *v* Combinatienaam van Anna en Elisabeth.

Annelin *v* (Scandinavisch) Combinatienaam van Anna en Carolien of Paulien.

Anneline *v* Combinatienaam van Anna en Carolien of Paulien.

Annelise *v* Combinatienaam van Anna en Elisabeth.

Anneloes *v* Combinatienaam van Anna en Loes.

Annelore *v* (Duits) Combinatienaam van Anna en Eleonora.

Annelot *v* Combinatienaam van Anna en Charlotte.

Annemaj *v* (Scandinavisch) Combinatienaam van Anna en Maria.

Annemarie *v* Combinatienaam van Anna en Maria.

Annemarijn *v* Combinatienaam van Anna en Marina.

Annemie *v* Combinatienaam van Anna en Maria.

Annemieke *v* Combinatienaam van Anna en Maria.

Annemien *v* Combinatienaam van Anna en Wilhelmina.

Anneriet *v* Combinatienaam van Anna en Margareta.

Annette *v* (Frans) Zie Anna.

Annick *v* (Fries, Frans) Zie Anna.

Annie *v* Zie Anna.

Annika *v* (Scandinavisch) Zie Anna.

Annina *v* (Duits) Zie Anna.

Anninka *v* (Slavisch) Zie Anna.

Annita *v* Zie Anita.

Anno *m* Zie Ane of Arnold.

Annold *m* Zie Arnoud.

Annora *v* Combinatienaam van Anna en Eleonora.

Anny *v* Zie Anna.

Anouchka *v* (Frans) Zie Anna.

Anouck *v* (Frans) Zie Anna.

Ans *v* Zie Anna.

Ansel *m* Zie Anselmus.

Anselmus *m* Samenstelling van de Germaanse stamvormen *ans* (god) en *helm* (helm, bescherming). Betekenis: "door de goden beschermd".

Ansgar *m* (Duits) Germaanse naam uit de stamvormen *ans* (god) en *gêr* (speer). Een meer voorkomende versie van deze naam is **Oscar**.

Antal *m* (Hongaars) Zie Antonius.

Antek *m* (Slavisch) Zie Antonius.

Anthonia *v* Vrouwelijke vorm van Antonius.

Anthonie *m* Zie Antonius.

Anthony *m* (Engels) Zie Antonius.

Antina *v* Zie Anna.

Antine *v* Zie Anna.

Antje *v* Zie Anna.

Antoine *m* (Frans) Zie Antonius.

Antoinette *v* (Frans) Vrouwelijke vorm afgeleid van Antonius.

Anton *m* Zie Antonius.

Antonello *m* (Italiaans) Zie Antonius.

Antonia *v* Vrouwelijke vorm van Antonius.

Antonie *m* Zie Antonius.

Antonin *m* (Slavisch) Zie Antonius.

Antonina *v* (Slavisch) Vrouwelijke vorm afgeleid van Antonius.

Antonio *m* (Italiaans) Zie Antonius.

Antonius *m* Van deze van oorsprong Latijnse naam is de betekenis onzeker. Mogelijk is er een verband met het Griekse *anthos* (bloem).

Antony *m* (Engels) Zie Antonius.

Antoon *m* Zie Antonius.

Antwan *m* Zie Antonius.

Anuschka *v* (Slavisch) Zie Anna.

Apollonius *m* Deze Latijnse naam betekent "hij die tot Apollo behoort". Apollo was een belangrijke god uit de Griekse en Romeinse mythologie. Oorspronkelijk was hij de god van het licht, later ook van onder meer de muziek, de dichtkunst en de geneeskunst.

Appie *m* Zie Abraham of Adelbert.

Arabel *v* (Spaans) Zie Arabella.

Arabella *v* (Spaans) In het Spaans betekent deze naam "de kleine Arabische".

Arabelle *v* (Spaans) Zie Arabella.

Aram *m* De betekenis van deze Hebreeuwse naam is "de verhevene".

Aranja *v* Vrouwelijke vorm afgeleid van Adriaan.

Aranka *v* (Hongaars) Afgeleid van het Hongaarse woord *arany*, dat "goud" betekent.

Arcon *m* Naam afgeleid van het Latijnse *arcus* (boog). In het Italiaans betekent *arco* "strijkstok".

Ardin *m* Zie Arne.

Ardine *v* Vrouwelijke vorm afgeleid van Arnoud.

Ardy *m* Zie Arnoud.

Arend *m* Zie Arnoud.

Aria *v* (Italiaans) Vrouwelijke vorm afgeleid van Adriaan.

Ariaan *m* Zie Adriaan.

Ariadne *v* Een naam uit de Griekse mythologie, mogelijk met de betekenis "de zeer heilige". Ariadne was de koningsdochter die Theseus een kluwen garen gaf om de weg uit het Labyrint te vinden. Vandaar de uitdrukking "de draad van Ariadne".

Arian *m* Zie Adriaan.

Ariane *v* (Frans) Zie Ariadne.

Arianna *v* (Italiaans) Zie Ariadne. Het kan ook een combinatienaam zijn van Adrie en Anna.

Arie *m* Zie Adriaan.

Ariël *m* Een van oorsprong Hebreeuwse naam die vermoedelijk "strijder van God" betekent. In de mythologie van de Middeleeuwen was Ariël de beschermgeest van de onschuld. Ook **Ariel** (Frans) gespeld.

Ariëlle *v* Zie Ariël. Ook **Arielle** (Frans) gespeld.

Arienne *v* Vrouwelijke vorm afgeleid van Adriaan.

Arieta *v* (Duits) Zie Ariadne.

Arietta *v* (Duits) Zie Ariadne.

Arik *m* Zie Aderik.

Arina *v* Vrouwelijke vorm afgeleid van Adriaan.

Arinda *v* Vrouwelijke vorm afgeleid van Arnoud.

Ariska *v* Vrouwelijke vorm afgeleid van Adriaan.

Aristide *m* (Frans) Zie Aristides.

Aristides *m* Naam van Griekse oorsprong die "zoon van de beste" betekent.

Arita *v* Vrouwelijke vorm afgeleid van Adriaan.

Arjaan *m* Zie Adriaan. Ook **Arjan** of **Arjen** gespeld.

Arjon *m* Zie Adriaan.

Arka *v* (Slavisch) Zie Ariadne.

Arko *m* Zie Arnoud of Adriaan.

Arlan *v* Zie Arlene.

Arlene *v* (Engels) De betekenis van deze naam is onzeker. Ook **Arlène** gespeld.

Arlette *v* (Frans) Naam afgeleid van het Germaanse *erilas* (krijgshaftig).

Armand *m* (Frans) Zie Herman.

Armande *v* (Frans) Vrouwelijke vorm afgeleid van Herman.

Armandine *v* (Frans) Vrouwelijke vorm afgeleid van Herman.

Armando *m* (Italiaans, Spaans) Zie Herman.

Armel *m* (Keltisch) Dit is een samenstelling van *artos* (beer) en *mael* (prins).

Armelle *v* (Frans) Vrouwelijke vorm van Armel.

Arna *v* Vrouwelijke vorm afgeleid van Arnoud.

Arnaldo *m* (Italiaans) Zie Arnoud.

Arnaud *m* (Frans) Zie Arnoud.

Arne *m* (Scandinavisch) Zie Arnoud.

Arnette *v* Vrouwelijke vorm afgeleid van Arnoud.

Arnika *v* (Hongaars) Vrouwelijke vorm afgeleid van Arnoud.

Arniko *m* (Hongaars) Zie Arnoud.

Arno *m* Zie Arnoud.

Arnold *m* Zie Arnoud.

Arnolde *v* Vrouwelijke vorm van Arnoud.

Arnoud *m* Samenstelling van de Germaanse stamvormen *arn* (adelaar) en *wald* (heersen). Betekenis: "hij die heerst als een adelaar". Ook **Arnout** gespeld.

Arnould *m* Zie Arnoud.

Arnulf *m* (Duits) Samenstelling van de Germaanse stamvormen *arn* (adelaar) en *wolf* (wolf).

Aroen *m* (Arabisch) Zie Haron.

Arold *m* Zie Harald.

Aron *m* Zie Aaron.

Arrienne *v* Vrouwelijke vorm afgeleid van Adriaan.

Arriet *v* Vrouwelijke vorm afgeleid van Adriaan.

Arris *m* Zie Adriaan.

Arthur *m* (Keltisch) Afgeleid van *artos*, dat "beer" betekent. Arthur is de legendarische koning uit tal van middeleeuwse Keltische romans. Hij is de stichter van de Ronde Tafel.

Arthy *m* (Engels) Zie Arthur.

Arun *m* (Arabisch) Zie Haron.

Arvid *m* (Scandinavisch) Samenstelling van de Germaanse stamvormen *arn* (adelaar) en *widu* (woud) of *vedhr* (storm). Betekenis: "adelaar van het woud" of "stormvogel".

Arvin *m* Zie Erwin.

Asha *v* (Slavisch) Vrouwelijke vorm afgeleid van Anastasius.

Asja *v* (Slavisch) Vrouwelijke vorm afgeleid van Anastasius.

Asmar *m* Samenstelling van de Germaanse stamvormen *ans* (god) en *mâr* (vermaard). Betekenis: "vermaard bij de goden".

Asta *v* Zie Anastasia, Augusta of Astrid.

Aster *v* Naam van een plant die gewijd was aan de Griekse godin Afrodite. Het Griekse *astèr* betekent "ster".

Astin *m* Zie Augustus.

Astrid *v* (Scandinavisch) Naam samengesteld uit de Germaanse stamvormen *ans* (god) en *rid* (paardrijdster). Betekenis: "paardrijdster van de goden".

Atie *v* Vrouwelijke vorm afgeleid van Adriaan of Ade.

Atilla *m* Zie Attila.

Atse *m* (Fries) Zie Ade.

Attila *m* Verkleinwoord van het Germaanse *atta* (vader). Attila betekent dus "vadertje". Het was de naam van de beruchte koning der Hunnen (ca. 406-453).

Atze *m* (Fries) Zie Adelbert.

Aubry *m/v* (Engels, Frans) Zie Alberik.

Audrey *v* (Engels) Samenstelling van de Germaanse stamvormen *adal* (edel) en *thrudh* (kracht). De beteke-

nis kan zijn: "sterke edelvrouwe".
De Nederlandse vorm van deze
naam is **Adeltruid**.

Aue *m* (Fries) De oorsprong van
deze naam is onzeker. Mogelijk is
het een bakernaam, d.w.z. een naam
die in de kindermond is ontstaan en
later een officiële naam werd.

Augosto *m* (Italiaans) Zie Augustus.

August *m* Zie Augustus.

Augusta *v* Vrouwelijke vorm van
Augustus.

Auguste *m* (Frans) Zie Augustus.

Augustin *m* (Frans) Zie Augustus.

Augustine *v* (Frans) Vrouwelijke
vorm van Augustus.

Augustus *m* Latijnse naam die letterlijk "gezegend, verheven" betekent. Heel wat Romeinse keizers
namen deze bijnaam aan. De keize-
rinnen noemden zich Augusta.

Auke *m* (Fries) Zie Aue.

Aukje *v* (Fries) Vrouwelijke vorm
van Aue.

Aura *v* (Roemeens) Vrouwelijke
vorm afgeleid van Aurelius.

Aurela *v* Vrouwelijke vorm van de
Latijnse naam Aurelius.

Aurelia *v* Vrouwelijke vorm van
Aurelius.

Aurélie *v* (Frans) Vrouwelijke vorm
van Aurelius.

Aurelio *m* (Italiaans) Zie Aurelius.

Aurelius *m* De naam komt van het
Latijnse *aurum* (goud) of van het
Griekse en Latijnse *aura* (lucht-
stroom, wind).

Aurica *v* (Roemeens) Vrouwelijke
vorm afgeleid van Aurelius.

Auriette *v* Vrouwelijke vorm afgeleid van Aurelius.

Ava *v* (Engels) Zie Eva.

Ave *m* (Fries) De betekenis is onzeker. Mogelijk is dit een bakernaam
(zie Aue).

Axel *m* (Scandinavisch, Frans) Zie
Alexander.

Axelle *v* (Frans) Zie Alexander.

Ayse *m* (Fries) Zie Eise.

Azra *v* Afgeleid van het Hebreeuwse *Azariah*, dat "God heeft gehol-
pen" betekent.

Azzo *m* (Italiaans) Zie Adolf.

Baafje *v* (Fries) Vrouwelijke vorm van Bavo.

Baak *m* (Fries) Zie Bake.

Babette *v* (Frans) Zie Barbara.

Babiche *v* (Frans) Zie Barbara.

Babs *v* Zie Barbara.

Bahar *m* Perzische naam die "lente" betekent.

Bake *m* (Fries) Koosnaam afgeleid van namen die beginnen met de Germaanse stam *badu* (strijd).

Balde *m* Naam afgeleid van Germaanse namen die beginnen met de stam *bald* (dapper, moedig).

Balder *m* Naam uit de Germaanse mythologie. Balder was de god van het licht en de lente. De naam kan verband houden met *bald* (dapper, moedig).

Baldine *v* Vrouwelijke vorm van Balde.

Baldwin *m* (Engels) Zie Boudewijn.

Balte *m* Zie Balthazar of Balde.

Balthasar *m* Zie Balthazar.

Balthazar *m* Hebreeuwse naam afgeleid van de Babylonische naam Belsazar, die "de God Baäl bescherme zijn leven" betekent. Balthazar was de naam gegeven aan een van de Drie Wijzen uit het Oosten.

Bambi *v* (Hongaars) Zie Ambrosius.

Bambina *v* (Italiaans) Betekent letterlijk "meisje".

Bapke *v* Vrouwelijke vorm afgeleid van Jakob.

Baptist *m* Naam afgeleid van het Griekse *baptistès* (de doper). In de bijbel kreeg Johannes deze bijnaam.

Baptiste *m* (Frans) Zie Baptist.

Barbara *v* De naam betekent "in het buitenland geboren" of "vreemdeling" en is afgeleid van het Griekse *barbaros*.

Barbel *v* (Duits) Zie Barbara. Ook **Bärbel** gespeld.

Barberina *v* (Duits) Zie Barbara.

Barbi *v* (Duits) Zie Barbara.

Barbra *v* (Scandinavisch) Zie Barbara.

Barbro *v* (Duits) Zie Barbara.

Bareld *m* Zie Berwout.

Barend *m* Zie Bernhard.

Barendina *v* Vrouwelijke vorm afgeleid van Bernhard.

Barett *m* (Engels) Een Engelse familienaam die ook wel als voornaam wordt gebruikt. De oorsprong is onzeker.

Barnabas *m* Naam van Hebreeuwse oorsprong die "zoon der vertroosting" betekent.

Barnabé *m* (Frans) Zie Barnabas.

Barnaby *v* (Engels) Vrouwelijke vorm van Barnabas.

Barnes *m* Zie Barnabas.

Barny *m* (Engels) Zie Barnabas.

Barry *m* (Engels) Naam afgeleid van de Ierse naam Bearrach, die "goede schutter" betekent.

Bart *m* Zie Bert of Bartholomeus.

Bartel *m* Zie Bartholomeus.

Barteld *m* Zie Bertold.

Bartele *m* (Fries) Zie Bartholomeus.

Barthélemy *m* (Frans) Zie Bartholomeus. Ook **Bartholomé** gespeld.

Bartholomeus *m* Dit is eigenlijk een familienaam ontstaan uit het Aramese *bar Tolmai*, dat "zoon van Tolmai" betekent. Tolmai betekent waarschijnlijk "de vorentrekker" of "rijk aan rimpels".

Bartolomeo *m* (Italiaans) Zie Bartholomeus.

Bas *m* Zie Barnabas of Sebastiaan.

Basch *m* (Zwitsers) Zie Sebastiaan.

Bascho *m* (Zwitsers) Zie Sebastiaan.

Basia *v* (Slavisch) Zie Barbara.

Basiel *m* Zie Basilius.

Basil *m* (Engels) Zie Basilius.

Basile *m* (Frans) Zie Basilius.

Basilius *m* Naam afgeleid van het Griekse *basileos*, dat "de koninklijke" betekent.

Basten *m* Zie Sebastiaan.

Basti *m* Zie Sebastiaan.

Bastia *m* (Zwitsers) Zie Sebastiaan.

Bastiaan *m* Zie Sebastiaan.

Bastian *m* Zie Sebastiaan.

Bastiano *m* (Italiaans) Zie Sebastiaan.

Bastien *m* (Frans) Zie Sebastiaan.

Bastienne *v* (Frans) Vrouwelijke vorm afgeleid van Sebastiaan.

Basto *m* (Italiaans) Zie Sebastiaan.

Bathina *v* Zie Beatrix.

Battista *m* (Italiaans) Zie Baptist.

Baudouin *m* (Frans) Zie Boudewijn.

Baue *m* (Fries) Zie Bavo.

Bauke *m* (Fries) Zie Baue.

Bavo *m* Een verkorting van Germaanse namen met de stam *badu* (strijd). Het kan ook een bakernaam zijn, d.w.z. een naam die in de kindermond is ontstaan en later een officiële naam werd.

Bea *v* Zie Beatrix of Beata.

Beata *v* Vrouwelijke vorm van het Latijnse *beatus*: "gezegend".

Beate *v* Zie Beata.

Beatrice *v* (Italiaans) Zie Beatrix. Ook **Béatrice** (Frans) gespeld.

Beatrijs *v* Zie Beatrix.

Beatrix *v* Latijnse naam met als betekenis "zij die geluk brengt". Waarschijnlijk oorspronkelijk als bijnaam voor Maria gebruikt.

Beau *m/v* (Frans) Betekent letterlijk "knap, mooi". Als meisjesnaam is de vrouwelijke vorm Belle, met dezelfde betekenis, meer in gebruik.

Beauty *v* (Engels) Betekent letterlijk "schoonheid".

Beerend *m* Zie Bernhard.

Bekka *v* Zie Rebekka.

Bela *m* (Hongaars) Zie Adelbert.

Belinda *v* De oorspronkelijke vorm was waarschijnlijk de Germaanse naam **Betlindis**. De betekenis van de eerste stam is onzeker; *lind* betekent "slang" symbool van wijsheid.

Bella *v* (Italiaans, Spaans) Zie Elisabeth en Beau.

Belle *v* (Frans) Zie Elisabeth en Beau.

Ben *m* Zie Bernhard of Benjamin.

Benedetta *v* (Italiaans) Vrouwelijke vorm afgeleid van Benedictus.

Benedetto *m* (Italiaans) Zie Benedictus.

Benedic *m* (Engels) Zie Benedictus.

Benedict *m* (Engels) Zie Benedictus.

Bénédicte *v* (Frans) Vrouwelijke vorm van Bénédict.

Benedicto *m* (Spaans) Zie Benedictus.

Benedictus *m* Latijnse naam met als betekenis "de gezegende".

Bengt *m* (Scandinavisch) Zie Benedictus.

Bengta *v* (Scandinavisch) Vrouwelijke vorm afgeleid van Benedictus.

Benice *v* Zie Berenice.

Benita *v* (Spaans) Vrouwelijke vorm afgeleid van Benedictus.

Benito *m* (Italiaans, Spaans) Zie Benedictus.

Benja *v* Vrouwelijke vorm van Benjamin.

Benjamin *m* In het Hebreeuws betekent *binjámin* "zoon van het zuiden, van de rechterhand of gelukskind". In de bijbel was Benjamin de jongste zoon van Jakob. De uitdrukking "hij is de benjamin" betekent "hij is de jongste zoon".

Benjamine *v* (Frans) Zie Benjamin.

Benji *m* Zie Benjamin.

Bennadette *v* Zie Bernadette.

Benne *m* (Fries) Zie Bernhard.

Bennet *m* (Engels) Zie Benedictus.

Bennie *m* Zie Bernhard of Benjamin.

Benno *m* Zie Bernhard.

Benny *m* (Engels) Zie Benjamin.

Benoît *m* (Frans) Zie Benedictus.

Benso *m* (Italiaans) Zie Bernhard.

Bent *m* (Scandinavisch) Zie Benedictus.

Bente *v* (Scandinavisch) Vrouwelijke vorm afgeleid van Benedictus.

Bep *v* Zie Elisabeth.

Berbe *v* Zie Barbara.

Berbel *v* Zie Barbara.

Berber *v* (Fries) Zie Barbara.

Berdien *v* Vrouwelijke vorm afgeleid van Bernhard.

Berdina *v* Vrouwelijke vorm afgeleid van Bernhard.

Berend *m* Zie Bernhard.

Berenice *v* Naam afgeleid van het Griekse *pherenikè*, dat "de overwinning brengend" betekent. Ook **Bérénice** (Frans) gespeld.

Berine *v* Koosnaam afgeleid van Germaanse namen met de stam *beran* (beer).

Berinike *v* (Duits) Zie Berenice.

Berit *v* (Scandinavisch) Zie Birgitta.

Bernadet *v* Zie Bernadette.

Bernadette *v* (Frans) Vrouwelijke

vorm afgeleid van Bernhard.

Bernard *m* Zie Bernhard.

Bernarda *v* Vrouwelijke vorm van
Bernhard.

Bernardine *v* (Frans) Vrouwelijke
vorm van Bernard.

Bernardino *m* (Italiaans) Zie Bernhard.

Bernardo *m* (Italiaans) Zie Bernhard.

Bernát *m* (Hongaars) Zie Bernhard.

Bernd *m* (Duits) Zie Bernhard.

Bernhard *m* Samenstelling van de
Germaanse stamvormen *beran* (beer)
en *hard* (sterk, moedig). Betekenis:
"sterk of moedig als een beer".

Berni *m* (Engels) Zie Bernhard.

Bernice *v* (Engels) Zie Berenice.

Bernlef *m* (Fries) Samenstelling van
de Germaanse stamvormen *beran*
(beer) en *liuf* (erfgenaam).

Bernt *m* (Duits) Zie Bernhard.

Berny *m* (Engels) Zie Bernhard.

Berrie *m* Zie Adelbert.

Bert *m* Zie Adelbert of Bertram.

Berta *v* Vrouwelijke vorm van Bert.

Berte *v* Vrouwelijke vorm van Bert.

Bertel *m* (Duits) Zie Bertold of Bert.

Berten *m* Zie Bert.

Bertha *v* (Duits) Vrouwelijke vorm
van Bert.

Berthe *v* (Frans) Vrouwelijke vorm
van Bert.

Berthold *m* Zie Bertold.

Berthy *v* (Engels) Vrouwelijke vorm

die is afgeleid van Bertram.

Bertida *v* (Duits) Vrouwelijke vorm
afgeleid van Bert.

Bertie *m* (Engels) Zie Bertram.

Bertie *v* Vrouwelijke vorm van Bert.

Bertil *m* (Scandinavisch) Zie Bertold.

Bertine *v* Vrouwelijke vorm afgeleid van Adelbert.

Bertje *v* Zie Adelbert of Bertram.

Berto *m* Zie Adelbert.

Bertold *m* Naam samengesteld uit
de Germaanse stamvormen *berht*
(schitterend) en *wald* (heersen). Betekenis: "de schitterende heerser".

Bertrada *v* (Duits) Vrouwelijke
vorm afgeleid van Bert.

Bertram *m* Samenstelling van de
Germaanse stamvormen *berht* (schitterend) en *hraban* (raaf). Betekenis:
"schitterende raaf". Wilde bertram
is de naam van een plant.

Bertrand *m* Samenstelling van de
Germaanse stamvormen *berht* (schitterend) en *rand* (schild). Betekenis:
"schitterend (als een) schild".

Bertrande *v* (Duits, Frans) Vrouwelijke vorm van Bertrand.

Bertraude *v* (Duits) Naam samengesteld uit de Germaanse stamvormen *berht* (schitterend) en *thrudh*
(kracht). Betekenis: "schitterend
door kracht".

Bertri *v* Vrouwelijke vorm afgeleid
van Bertrand of Bertraude.

Berwout *m* De naam betekent "heersend als een beer" en is samengesteld uit de Germaanse stamvormen *beran* (beer) en *wald* (heersen).

Beryl *v* (Engels) Beril of beryl is de naam van een mineraal (Grieks *bèrullos)* waarvan edelstenen worden gemaakt. In het Perzisch en Arabisch betekent het woord "kristal(helder)". Het woord bril is hiervan afgeleid.

Bess *v* (Engels) Zie Elisabeth.

Bessel *m* (Fries) Mogelijk is dit een koosnaam afgeleid van Germaanse namen met de stam *beran* (beer) of *berht* (schitterend).

Betheline *v* Combinatienaam van Elisabeth en Carolina of Paulina.

Betina *v* Zie Elisabeth.

Betine *v* Zie Elisabeth.

Betje *v* Zie Elisabeth.

Betske *v* (Fries) Zie Elisabeth.

Bette *v* (Engels) Zie Elisabeth.

Bettie *v* Zie Elisabeth.

Bettina *v* Zie Elisabeth.

Bettine *v* Zie Elisabeth.

Betto *m* (Italiaans) Zie Benedictus.

Betty *v* (Engels) Zie Elisabeth.

Bianca *v* (Italiaans) Betekent letterlijk "wit (blond), blank".

Bianco *m* (Italiaans) Zie Bianca.

Bibi *v* (Scandinavisch) Verkorte vorm van Birgitta.

Bibiana *v* (Portugees) Zie Vivian.

Bibiche *v* (Frans) Naam afgeleid van het Franse kinderwoordje *bibi* (ik, mij). Bij uitbreiding werd de betekenis "mijn schatje".

Bibienne *v* Zie Birgitta.

Bibieno *m* (Portugees) Zie Vivian.

Bien *m* Zie Albin.

Bienes *m* (Duits) Zie Benjamin.

Bill *m* (Engels) Zie William.

Billy *m* (Engels) Zie William.

Bina *v* Vrouwelijke vorm afgeleid van Sabinus.

Bindert *m* (Fries) Zie Bernhard.

Bing *m* (Engels) Bing was de bijnaam van de Amerikaanse zanger Harry Lillis Crosby (1901-1977).

Binne *m* (Fries) Zie Bernhard.

Binnert *m* (Fries) Zie Bernhard.

Binno *m* Zie Bernhard.

Birgit *v* (Scandinavisch) Zie Birgitta.

Birgit *v* Zie Birgitta.

Birgita *v* (Scandinavisch) Zie Birgitta.

Birgitta *v* (Scandinavisch) Deze van oorsprong Zweedse naam betekent waarschijnlijk "dochter van Birger". De betekenis van *birger* is "beschermer, helper".

Birte *v* (Scandinavisch) Zie Birgitta.

Bisch *m* (Scandinavisch) Zie Baptist.

Bjarne *m* (Scandinavisch) Zie Bjorn.

Bjorn *m* (Scandinavisch) Ook **Björn** gespeld. Het Zweedse *björn* (Germaanse stam *beran*) betekent "beer".

Blaise *m* (Frans) Zie Blasius.

Blanca *v* (Spaans) Zie Bianca.

Blanche *v* (Frans) Zie Bianca.

Blanda *v* (Duits) Vrouwelijke vorm van Blandinus.

Blandina *v* (Duits) Vrouwelijke vorm van Blandinus.

Blandinus *m* Naam afgeleid van het Latijnse *blandus*, dat "lief, vriendelijk" betekent.

Blasius *m* Waarschijnlijk afgeleid van het Griekse *basileios* (de koninklijke) of van het Griekse *blaisos* (struikelend, stamelend).

Blazek *m* (Slavisch) Zie Blasius.

Bloeme *v* Germaanse naam met als betekenis "bloem, jeugdig, schoon". Te vergelijken met de Franse voornaam **Fleur**.

Blomme *v* Zie Bloeme.

Bo *m/v* Zie Beau.

Bob *m* Zie Robrecht.

Bobby *m* Zie Robrecht.

Bode *m* Verkorte vorm van Germaanse namen met de stam *bod* (gebieden).

Bodil *v* (Scandinavisch) Samenstelling van de Germaanse stamvormen *bod* (gebieden) en *hild* (strijd). Betekenis: "gebieder in de strijd".

Bodine *v* Vrouwelijke vorm van Bode.

Bodo *m* (Duits) Verkorte vorm van Germaanse namen met de stam *bod* (gebieden).

Bohuslaw *m* (Slavisch) Zie Boleslaw.

Bojoura *v* (Slavisch) Bulgaarse naam die "pioenroos" betekent.

Boleslaw *m* (Slavisch) De betekenis van deze Russische naam is "meer roem".

Bone *m* (Fries) Een van oorsprong Germaanse naam die mogelijk verband houdt met *ban* (ban, rechtsgebied).

Boni *m* Zie Bonifatius.

Bonifatius *m* Latijnse naam samengesteld uit *bonus* (goed) en *facere* (doen) of *fatum* (noodlot). De betekenis is "weldoener" of "met een goede toekomst".

Bonita *v* (Spaans) Betekent letterlijk "lief, mooi".

Bonnie *v* (Schots) Het Schotse *bonny* betekent "lief, mooi". De naam kreeg bekendheid door het gangsterduo uit de film "Bonnie and Clyde".

Bonno *m* Zie Bonifatius of Bone.

Bonny *v* Zie Bonnie.

Bord *m* Zie Willibrord.

Boris *m* (Slavisch) Verkorte vorm van namen met de stam *boru* (strijd).

Bosco *m* (Italiaans) Bekend van de Heilige Johannes Bosco. Bosco is eigenlijk een familienaam, te vergelijken met het Nederlandse Bos of Bosch.

Bothe *m* Zie Bode.

Boudewijn *m* Naam samengesteld uit de Germaanse stamvormen *bald* (dapper) en *win* (vriend). De betekenis is "dappere vriend".

Boy *m* (Engels) Betekent letterlijk "jongen".

Boyd *m* (Keltisch) Naam afgeleid van het Gaelische *buidhe*, dat "geel" betekent en dat vermoedelijk wijst op de haarkleur van de drager.

Brain *m* Zie Brian.

Bram *m* Zie Abraham.

Brammert *m* Zie Abraham.

Branda *v* (Fries) Vrouwelijke afleiding van namen met de Germaanse stam *brand* (vlammend zwaard).

Brandon *m* (Engels) Oorspronkelijk was dit een familienaam en een plaatsnaam. De betekenis is "met brem begroeide heuvel".

Branko *m* (Slavisch) Koosnaam afgeleid van de naam **Bronislawa**, met als stamvormen *bronja* (pantser) en *sláva* (roem).

Brechje *v* (Fries) Vrouwelijke vorm van Brecht.

Brecht *m* (Fries) Verkorte vorm van namen met de Germaanse stam *berht* (schitterend).

Brend *m* (Engels) Zie Brendan.

Brenda *v* (Engels) Zie Branda.

Brendan *m* (Iers) De oorsprong van deze naam is onzeker. Hij kan verband houden met het Ierse *bran*, dat "raaf" betekent. Er zijn verschillende betekenissen in omloop, zoals "prins", "vlammend, driftig", "hij die bij de vuurtoren woont" en "stinkend haar". De naam is bij ons bekend als **Brandaan**, uit het middeleeuwse verhaal "De reis van Sint-Brandaan".

Brenna *v* Zie Brenda.

Brent *m* (Engels) Zie Brendan.

Brian *m* (Keltisch) De oorsprong van deze naam is onzeker. De betekenis is waarschijnlijk "heuvel".

Bridget *v* (Engels) Zie Brigitta.

Brighid *v* (Iers) De naam betekent "de verhevene".

Brigida *v* (Spaans) Zie Brigitta.

Brigitta *v* Ook **Brigita** gespeld. De naam is de gelatiniseerde vorm van de Ierse naam Brighid (zie aldaar).

Brigitte *v* (Frans) Zie Brigitta.

Brita *v* (Scandinavisch) Zie Brigitta.

Britt *v* (Scandinavisch) Zie Brigitta.

Britta *v* Zie Brigitta.

Brogio *m* (Italiaans) Zie Ambrosius.

Brord *m* Zie Willibrord.

Bruce *m* (Schots) Oorspronkelijk een plaatsnaam in Normandië (Brieuse of Brix) en een familienaam. Later ook als voornaam in gebruik gekomen.

Bruining *m* Zie Bruno.

Bruna *v* Vrouwelijke vorm van Bruno.

Bruno *m* Naam afgeleid van de

Germaanse stam *brûn* (bruin, donkerkleurig) of van het Gotische
brunjô (borstpantser).

Brunold *m* (Duits) Samenstelling
van de Germaanse stamvormen
brûn (bruin, donkerkleurig) en *wal-
tan* (heersen).

Brunone *m* (Italiaans) Zie Bruno.

Bud *m* (Engels) Verkorte vorm van
Buddy. Ook **Budd** gespeld.

Buddy *m* (Engels) Betekent letterlijk
"kameraad, vriend". De naam
wordt nu algemeen gebruikt voor
personen die aids-patiënten helpen.

Burchart *m* (Duits) Samenstelling
van de Germaanse stamvormen *burg*
(bescherming) en *hard* (sterk, dapper). Betekenis: "sterke beschermer".

Burghild *v* (Duits) Samenstelling
van de Germaanse stamvormen *burg*
(bescherming) en *hilt* (strijd).

Burt *m* (Engels) Zie Burton.

Burton *m* (Engels) Oorspronkelijk
was dit een plaatsnaam met als
betekenis "omheind erf bij een ver-
sterkte plaats". Later ook een familienaam en een voornaam.

C

Caecilius *m* Naam afgeleid van het Latijnse *caecus*, dat "blind, slechtziend" betekent. Bij de afgeleide namen is Cae- meestal Ce- geworden.

Caelestis *m* Latijnse naam die letterlijk "hemels, goddelijk" betekent. Bij de afgeleide namen is Cae- meestal Ce- geworden.

Caitlin *v* (Engels) Zie Catharina.

Cameron *m* (Engels) Oorspronkelijk was dit een familienaam, afgeleid van het Gaelische *camshròn*, dat "scheefneus" betekent.

Camilla *v* Vrouwelijke vorm van Camillus.

Camille *m/v* (Frans) Zie Camillus.

Camillus *m* Naam afgeleid van het Griekse *kadmilos* (beschermer, dienaar) of het Griekse *gamèlios* (feestelijk).

Candida *v* Naam afgeleid van het Latijnse *candidus*, dat "sneeuwwit, vlekkeloos" betekent.

Candide *m/v* (Frans) Zie Candida.

Canisia *v* Vrouwelijke vorm van de Latijnse naam **Canisius**, die oorspronkelijk een familienaam was en werd afgeleid van het Latijnse *canis* (hond).

Cara *v* Latijnse naam die "dierbaar, geliefd" betekent.

Caran *v* (Engels) Zie Catharina.

Carel *m* Zie Karel.

Carianne *v* Combinatienaam van Catharina en Anna of Johanna.

Carien *v* Zie Catharina.

Carina *v* Zie Cara. Ook **Carine.**

Carl *m* (Duits) Zie Karel.

Carla *v* Vrouwelijke vorm van Karel.

Carleen *v* Zie Carolina.

Carli *v* Zie Carolina.

Carlien *v* Zie Carolina.

Carlinde *v* Combinatienaam van Carolina en Linda.

Carlo *m* (Italiaans) Zie Karel.

Carlos *m* (Spaans) Zie Karel.

Carlota *v* (Spaans) Zie Charlotte.

Carlotta *v* (Italiaans) Zie Charlotte.

Carmel *v* Naam afgeleid van het Hebreeuwse *karmel*, dat "wijngaard van God" betekent.

Carmela *v* (Italiaans) Zie Carmel of Carmen.

Carmen *v* (Spaans) Het Latijnse woord *carmen* betekent "gezang, lied". In Spanje is Carmen een van de bijnamen van Maria.

Carmina *v* (Spaans) Zie Carmen.

Caro *v* Zie Carolina.

Carol *m/v* (Engels) Zie Carolina.

Carola *v* (Duits) Zie Carolina.

Carole *v* (Frans) Zie Carolina.

Carolien *v* Zie Carolina.

Carolina *v* Vrouwelijke vorm afgeleid van Karel. Ook **Caroline.**

Carrie *v* Zie Carolina.

Carst *m* Zie Christiaan.

Carsten *m* Zie Christiaan.

Cary *m* (Engels) Zie Karel.

Cas *m* Zie Caspar.

Casimir *m* (Slavisch) De betekenis van deze naam is onzeker. Het Poolse *kasimierz* betekent "verkondiger van de vrede", het Tsjechische *kazimir* betekent "verstoorder van de vrede".

Caspar *m* (Perzisch) De naam is mogelijk afgeleid van het Perzische *kandschwar*, dat "schatbewaarder" betekent. Caspar was een van de Drie Wijzen uit het Oosten.

Cassandra *v* Een naam uit de Griekse mythologie met als betekenis "zij die schittert onder de mannen" of "beschermster van de overwinning".

Catalina *v* (Spaans) Zie Catharina.

Catharina *v* De naam wordt meestal in verband gebracht met het Griekse *katharos*, dat "rein, zuiver" betekent. Mogelijk is er ook een verband met het Syrische *kéthar* (kroon). Ook **Catharine** of **Catherina** gespeld.

Cathelijne *v* Zie Catharina.

Catherine *v* (Frans) Zie Catharina.

Cathinca *v* Zie Catharina.

Cathleen *v* (Engels) Zie Catharina.

Cathy *v* (Engels) Zie Catharina.

Cato *v* (Frans) Zie Catharina.

Catrien *v* Zie Catharina.

Ceciel *v* Vrouwelijke vorm van Caecilius.

Cecil *m* (Engels) Zie Caecilius.

Cecile *v* (Engels) **Cécile** (Frans) Vrouwelijke vorm van Caecilius.

Cecilia *v* Vrouwelijke vorm van Caecilius.

Cedric *m* (Engels) **Cédric** (Frans) De naam is mogelijk afgeleid van de Welse naam *Ceddrich*, met als betekenis "voorbeeld van vriendelijkheid".

Celest *v* Vrouwelijke vorm van Caelestis.

Celesta *v* Vrouwelijke vorm van Caelestis.

Céleste *m/v* (Frans) Zie Caelestis.

Celestien *v* Zie Caelestis.

Célestin *m* (Frans) Zie Caelestis.

Célestine *v* (Frans) Zie Caelestis.

Celia *v* (Engels, Spaans) Vrouwelijke vorm afgeleid van Caecilius.

Celie *v* Ook **Célie** (Frans) gespeld. Vrouwelijke vorm afgeleid van Caecilius.

Celina *v* Vrouwelijke vorm afgeleid van Caecilius of Marcellus.

Celine *v* Ook **Céline** (Frans) gespeld. Vrouwelijke vorm afgeleid van Caecilius.

Cente *m* Zie Vincent.

Ceremco *m* Mogelijk een combinatienaam van Caecilius en Remco.

Ceres *m* Ceres was een Romeinse graangodin. De naam is vermoedelijk afgeleid van het Latijnse *creare* (scheppen).

Ceri v (Keltisch) Het Welse *ceri* betekent "geliefde".

Ceriel m Zie Cyriel.

Cerise v (Frans) De naam betekent letterlijk "kers". Hij kan ook een variant zijn van Chérie (zie aldaar).

Cesar m Ook **César** (Frans) gespeld. De Romeinse naam Caesar is waarschijnlijk afgeleid van het Latijnse *caedere* (vellen, snijden). Men gaf er de betekenis "met de keizersnede geboren" aan. Omdat veel Romeinse keizers Caesar heetten, werd deze naam in verschillende talen tot een soortnaam voor "keizer".

Ceylan m (Indisch) Waarschijnlijk houdt de naam verband met het eiland Ceylon (nu Sri Lanka). Ceylon betekent "eiland van de leeuwen".

Chaline v (Engels) Zie Charlene.

Chamo m (Arabisch) Waarschijnlijk is er een verband met het Franse *chameau* (kameel).

Chanel v (Frans) Oorspronkelijk een familienaam, bekend geworden door het beroemde Franse modehuis.

Chanika v Vrouwelijke vorm afgeleid van Johannes.

Channa v Vrouwelijke vorm afgeleid van Johannes.

Chantal v (Frans) Oorspronkelijk was deze naam een familienaam. Deze naam is afgeleid van het

Latijnse woord *cantum* (gezang).

Charief m (Arabisch) Zie Sharif.

Charif m (Arabisch) Zie Sharif.

Charina v Zie Catharina.

Charissa v Naam afgeleid van het Griekse *charis*, dat "bevalligheid" of "gratie" betekent. De naam **Gratia** heeft dezelfde oorsprong.

Charita v Zie Charity.

Charity v (Engels) Naam afgeleid van het Latijnse *caritas*, dat "barmhartigheid" betekent. Het Engelse woord *charity* betekent "liefdadigheid".

Charlene v (Engels) Vrouwelijke vorm afgeleid van Karel.

Charles m (Engels, Frans) Zie Karel.

Charley m (Engels) Zie Karel.

Charlie m (Engels) Zie Karel.

Charline v (Engels) Zie Charlene.

Charlotta v Vrouwelijke vorm afgeleid van Karel.

Charlotte v (Engels, Frans) Vrouwelijke vorm afgeleid van Karel.

Charly m (Engels) Zie Karel.

Charon v Zie Sharon.

Chava v Zie Chavon.

Chavon v (Keltisch) Vrouwelijke vorm afgeleid van Johannes.

Chayenne v Vrouwelijke vorm afgeleid van Karel.

Che m (Spaans) *Che* betekent letterlijk "hé jij". In Argentinië is het een veel gebruikte begroeting. In Zuid-Amerika is het een scheldnaam voor

Argentijnen. Het was de bijnaam van de Argentijnse guerillastrijder Ernesto "Che" Guevara (1928-1967).

Chef *m* Zie Jozef.

Cher *v* (Engels) Zie Cheryl.

Cheralde *v* Vrouwelijke vorm afgeleid van Gerald.

Cherees *v* (Engels) Zie Charissa.

Chérie *v* (Frans) Betekent letterlijk "liefje".

Cheryl *v* (Engels) Vrouwelijke vorm afgeleid van Karel.

Chiara *v* (Italiaans) Zie Clara.

Chico *m* (Spaans) De naam betekent letterlijk "kleine jongen", zoals **Chica** "klein meisje" betekent.

Chiel *m* Zie Michael.

Chiela *v* Vrouwelijke vorm afgeleid van Michael.

Chinouk *v* De naam houdt waarschijnlijk verband met de Noord-Amerikaanse indianenstam Chinook. Het is ook de naam van de "wind die van de Rocky Mountains waait".

Chiquita *v* (Spaans) Vrouwelijke vorm afgeleid van Chico.

Chloë *v* De naam komt van het Griekse *chloè*, dat "jonge scheut, jong groen" betekent. Chloë is de andere naam voor Demeter, godin van de landbouw. Het is ook de naam van het Griekse herderinnetje in het herdersverhaal "Daphnis en Chloë". Ook **Chloé** (Frans) gespeld.

Chloris *m/v* De naam is afgeleid van het Griekse *chloros* en betekent "fris groen, jong". Chloris is de Griekse tegenhangster van de Romeinse godin Flora. Vroeger vooral een meisjesnaam, in de 17de en 18de eeuw ook een jongensnaam.

Chrétien *m* (Frans) De naam betekent letterlijk "christelijk".

Chrétienne *v* (Frans) Vrouwelijke vorm van Chrétien.

Chriet *m* Zie Christiaan.

Chris *m* Zie Christiaan en Christoforus.

Chrissy *v* (Engels) Vrouwelijke vorm afgeleid van Christiaan.

Christ *m* (Engels) Zie Christiaan.

Christa *v* (Duits) Vrouwelijke vorm van Christiaan.

Christabel *v* (Engels) Naam samengesteld uit het Latijnse *christus* (christen) en *bella* (mooi). Betekenis: "mooie volgelinge van Christus".

Christel *v* Zie Crystal.

Christelle *v* (Frans) Zie Crystal.

Christiaan *m* Zeer verbreide naam die is afgeleid van het Griekse *christianos* (christen), dat op zijn beurt is afgeleid van het Griekse *christos*, dat "gezalfde" betekent. De naam kent veel afgeleide jongens- en meisjesnamen. Ook met K gespeld.

Christian *m/v* (Engels, Frans) Zie Christiaan.

Christiane *v* (Frans) Vrouwelijke vorm van Christiaan.

Christina *v* Vrouwelijke vorm van Christiaan.

Christine *v* (Frans) Vrouwelijke vorm van Christiaan.

Christo *m* (Slavisch) Zie Christoforus.

Christof *m* Zie Christoforus.

Christoffel *m* Zie Christoforus.

Christoffer *m* Zie Christoforus.

Christoforo *m* (Italiaans) Zie Christoforus.

Christoforus *m* Griekse naam met als betekenis "drager van Christus".

Christoph *m* Zie Christoforus.

Christophe *m* (Frans) Zie Christoforus.

Christopher *m* (Engels) Zie Christoforus.

Christy *v* Vrouwelijke vorm afgeleid van Christiaan.

Chrystal *v* Zie Crystal.

Cicilia *v* Vrouwelijke vorm afgeleid van Caecilius.

Ciel *m/v* Zie Caecilius.

Cieske *m/v* Zie Franciscus.

Cilia *v* Vrouwelijke vorm afgeleid van Caecilius.

Cilla *v* (Engels) Vrouwelijke vorm afgeleid van Caecilius.

Cilly *v* (Engels) Zie Prisca.

Cindie *v* Zie Cynthia.

Cindy *v* Zie Cynthia.

Cintha *v* Zie Cynthia.

Cinthia *v* Zie Cynthia.

Cintia *v* (Hongaars) Zie Cynthia.

Cinzia *v* (Italiaans) Zie Cynthia.

Cis *m/v* Verkorte vorm van Franciscus.

Ciska *v* Vrouwelijke vorm afgeleid van Franciscus.

Cissy *v* Vrouwelijke vorm afgeleid van Franciscus.

Claartje *v* Zie Clara.

Claas *m* Zie Nicolaas.

Clair *v* Zie Clara.

Claire *v* (Frans) Zie Clara.

Clara *v* Naam die is afgeleid van het Latijnse *clarus*, dat "helder, stralend" betekent.

Clarck *m* (Engels) Naam afgeleid van de Gaelische familienaam *Cléireach*, verwant aan het Latijnse *clericus* (geestelijke, klerk).

Clarice *v* (Engels) Zie Clara.

Clarien *v* Zie Clara.

Clarina *v* Zie Clara.

Clarita *v* Zie Clara.

Clasine *v* Vrouwelijke vorm afgeleid van Nicolaas.

Claude *m/v* (Frans) Zie Claudius.

Claudette *v* (Frans) Vrouwelijke vorm afgeleid van Claudius.

Claudia *v* Vrouwelijke vorm van Claudius.

Claudine *v* (Frans) Vrouwelijke vorm afgeleid van Claudius.

Claudio *m* (Italiaans) Zie Claudius.

Claudius *m* Een Romeinse familie- en keizersnaam die is afgeleid van het Latijnse *claudus*, dat "kreupel, hinkend, lam" betekent.

Claus *m* (Duits) Zie Nicolaas.

Clazien *v* Vrouwelijke vorm afgeleid van Nicolaas.

Clem *m* Zie Clemens.

Clemence *v* (Engels) Vrouwelijke vorm van Clemens.

Clemens *m* Latijnse naam met als betekenis "zachtmoedig, genadig".

Clemense *v* Vrouwelijke vorm van Clemens.

Clement *m* Zie Clemens. Ook **Clément** (Frans) gespeld.

Clementine *v* Vrouwelijke vorm afgeleid van Clemens. Ook **Clémentine** (Frans) gespeld.

Clemmy *v* Vrouwelijke vorm afgeleid van Clemens.

Cleo *v* (Engels) **Cléo** (Frans) Zie Cleopatra.

Cleopatra *v* (Egyptisch) Naam van verscheidene Egyptische vorstinnen, met als betekenis "met een beroemde vader".

Clif *m* (Engels) Zie Clifford.

Cliff *m* (Engels) Zie Clifford.

Clifford *m* (Engels) Oorspronkelijk een plaats- en familienaam met als betekenis "voorde nabij een klif of helling".

Clifton *m* (Engels) Oorspronkelijk een plaats- en familienaam met als betekenis "nederzetting bij een klif of helling".

Clint *m* Zie Clinton.

Clinton *m* (Engels) Oorspronkelijk een plaats- en familienaam met als betekenis "nederzetting op of bij een heuvel".

Clive *m* (Engels) Oorspronkelijk een plaats- en familienaam met als betekenis "klif, helling".

Clovis *m* Gelatiniseerde vorm van Lodewijk, bekend door de Merovingische koning Clovis (481-511).

Clyde *m* (Engels) Naam van een Schotse rivier.

Co *m* Zie Jakob of Nicolaas.

Cobie *v* Vrouwelijke vorm afgeleid van Jakob.

Coby *v* Vrouwelijke vorm afgeleid van Jakob.

Cock *m/v* Zie Cornelis.

Coco *v* Vrouwelijke vorm afgeleid van Cornelis.

Coen *m* Zie Koenraad.

Colet *v* Vrouwelijke vorm afgeleid van Nicolaas.

Coleta *v* Vrouwelijke vorm afgeleid van Nicolaas.

Coletta *v* (Duits) Vrouwelijke vorm afgeleid van Nicolaas.

Colette *v* (Frans) Vrouwelijke vorm afgeleid van Nicolaas.

Colien *v* Vrouwelijke vorm afgeleid van Nicolaas.

Colin *m* (Engels, Frans) Zie Nicolaas.

Coline *v* (Frans) Vrouwelijke vorm van Colin.

Colinda *v* Vrouwelijke vorm afgeleid van Nicolaas.

Colombanus *m* Ook **Columbanus**. Naam afgeleid van het Latijnse *columba*, dat "duif" betekent.

Colombine *v* (Frans) Vrouwelijke vorm van Colombanus.

Colum *m* Zie Colombanus.

Concepción *v* (Spaans) Naam afgeleid van het Latijnse *conceptio*, dat "ontvangenis" betekent. De naam heeft dezelfde waarde als Maria, de Onbevlekte Ontvangenis, in het Spaans *La Inmaculada Concepción*.

Conchita *v* (Spaans) Zie Concepción.

Conny *v* Vrouwelijke vorm afgeleid van Constans.

Conrad *m* (Duits, Engels) Zie Koenraad.

Constance *v* (Frans) Zie Constans.

Constans *m* Latijnse naam met als betekenis "standvastig, volhardend".

Constant *m* (Frans) Zie Constans.

Constantijn *m* Naam afgeleid van het Latijnse *constans*, dat "standvastig, volhardend" betekent.

Constantino *m* (Italiaans) Zie Constantijn.

Coos *m* Zie Jakob.

Cor *m* Zie Cornelis.

Cora *v* Vrouwelijke verkorte vorm afgeleid van Cornelis. Cora kan ook een zelfstandige naam zijn, afgeleid van het Griekse *korè*, dat "meisje" betekent.

Coralie *v* Vlaamse naam die is afgeleid van het Latijnse *curalium*, dat "koraal" betekent.

Corianne *v* Combinatienaam van Cornelia en Anna.

Corien *v* Vrouwelijke vorm afgeleid van Cornelis.

Corinda *v* Vrouwelijke vorm afgeleid van Cornelis.

Corinne *v* (Frans) Vrouwelijke vorm afgeleid van Cornelis. Ook **Corine** gespeld.

Corline *v* Combinatienaam van Cornelia en Carolina of Paulina.

Corneel *m* Zie Cornelis.

Cornelia *v* Vrouwelijke vorm van Cornelis.

Cornélie *v* (Frans) Vrouwelijke vorm van Cornelis.

Cornelis *m* De betekenis van deze naam is onzeker. Misschien houdt hij verband met het Latijne *cornu*, dat "hoorn" of "gehoornde" betekent.

Cornelise *v* Combinatienaam van Cornelia en Elisabeth.

Corrado *m* (Italiaans) Zie Konrad.

Corrie *v* Vrouwelijke vorm afgeleid van Cornelis.

Corrien *v* Vrouwelijke vorm afgeleid van Cornelis.

Cors *m* Zie Christiaan.

Crescentia *v* (Duits) Naam afgeleid

van het Latijnse *crescens* (groeiend).

Crijn *m* Zie Quirinus.

Cris *m* Zie Christiaan of Crispijn.

Crispijn *m* Naam afgeleid van het Latijnse *crispus*, dat "gekruld" of "kroeskop" betekent.

Cristine *v* Vrouwelijke vorm afgeleid van Christiaan.

Crystal *v* (Engels) Letterlijk "kristal", van het Griekse *krustallos* (ijs).

Cuno *m* Zie Kunibert.

Cyanne *v* Mogelijk een combinatienaam van Cynthia en Anna.

Cynric *m* (Engels) Naam samengesteld uit de Germaanse stamvormen *kuni* (koninklijk geslacht) en *rîk* (rijk, machtig). Betekenis: "koninklijk heerser".

Cynthia *v* Een van oorsprong Griekse naam. Cynthia was een bijnaam van de godin Artemis, tegenhangster van de Romeinse Diana.

Cyrelle *v* Vrouwelijke vorm van Cyrus.

Cyriel *m* Zie Cyrus.

Cyrille *m* (Frans) Zie Cyrus.

Cyrillus *m* Afgeleide vorm van Cyrus.

Cyrus *m* Perzische koningsnaam, afgeleid van het Perzische *kurush*, dat "heer, zon" betekent. *Kuru* betekent "troon".

Daan *m* Zie Daniel.

Dafne *v* Zie Daphne.

Dagmar *v* (Scandinavisch) Vrouwelijke vorm van Dagomar.

Dagny *v* (Scandinavisch) Vrouwelijke vorm afgeleid van Dagomar.

Dagobert *m* Samenstelling van de Germaanse stamvormen *dag* (dag) en *berht* (schitterend).

Dagomar *m/v* (Scandinavisch) Samenstelling van de Germaanse stamvormen *dag* (dag) en *mâr* (vermaard).

Daisy *v* (Engels) Het Engelse woord voor "madeliefje". Het woord komt van het Oudengelse *daeges éage*, dat "oog van de dag" betekent.

Daleen *v* Vrouwelijke vorm afgeleid van Daniel.

Dalila *v* (Duits) Zie Delila.

Damiaan *m* Verkorte vorm van de naam Damianus, afgeleid van het Griekse *damazein* (temmen, bedwingen).

Damien *m* (Frans) Zie Damiaan.

Dana *v* (Slavisch) Vrouwelijke vorm afgeleid van Daniel.

Dandy *m* (Engels) Koosnaam van Andreas. Een "dandy" is een man die veel zorg besteedt aan zijn uiterlijk.

Danella *v* Vrouwelijke vorm afgeleid van Daniel.

Dania *v* (Slavisch) Vrouwelijke vorm afgeleid van Daniel.

Danica *v* Vrouwelijke vorm afgeleid van Daniel.

Daniel *m* Ook **Daniël** gespeld. Een van oorsprong Hebreeuwse naam met als betekenis "mijn rechter is God".

Daniella *v* (Italiaans) Vrouwelijke vorm van Daniel.

Danielle *v* (Frans) Vrouwelijke vorm van Daniel. Ook **Danièle** gespeld.

Danilo *m* (Slavisch) Zie Daniel.

Danine *v* Vrouwelijke vorm afgeleid van Daniel.

Danique *v* Vrouwelijke vorm afgeleid van Daniel.

Danita *v* Vrouwelijke vorm afgeleid van Daniel.

Danja *v* (Slavisch) Vrouwelijke vorm afgeleid van Daniel.

Danka *v* Verkorte vorm van namen met de Germaanse stam *dank* (geest, gedachte).

Danny *m/v* (Engels) Zie Daniel.

Dános *m* (Hongaars) Zie Daniel.

Danouta *v* (Slavisch) Zie Danuta.

Danuta *v* (Slavisch) De betekenis is waarschijnlijk "de gegevene". De naam kan echter ook een koosnaam zijn van Daniel.

Daphne *v* Ook **Dafne** of **Daphné** (Frans) gespeld. Een van oorsprong Griekse naam die "laurier" betekent. In de Griekse mythologie was Daphne een nimf die door de goden veranderd werd in een laurierstruik.

Dara *v* Een van oorsprong Semitische naam die "parel van wijsheid" betekent.

Darie *m* Zie Darius.

Darina *v* Vrouwelijke vorm afgeleid van Darius.

Dario *m* (Italiaans) Zie Darius.

Darius *m* Een van oorsprong Perzische naam met als betekenis "beschermer van het bezit".

Darja *v* (Slavisch) Vrouwelijke vorm van Darius.

Darlene *v* (Engels) Vermoedelijk een variant op het Engelse *darling* (lieveling).

Daryl *v* (Engels) Oorspronkelijk een familienaam die mogelijk ontstaan is uit d'Ariel, een Franse plaatsnaam.

Dave *m* (Engels) Zie David.

David *m* Een Hebreeuwse naam met als betekenis "de geliefde, de vriend". David was de herdersjongen die de reus Goliath overwon.

Davida *v* (Duits) Vrouwelijke vorm van David.

Davide *m* (Italiaans) Zie David.

Davine *v* (Schots) Vrouwelijke vorm van David.

Davy *m* (Engels) Zie David.

Dean *m* (Engels) Oorspronkelijk een familienaam afgeleid van het Oudengelse *denu*, dat "vallei" betekent.

Deanne *v* Zie Diana.

Debby *v* (Engels) Zie Debora.

Debora *v* De betekenis van deze Hebreeuwse naam is "honingbij" of "de vlijtige". Te vergelijken met de Griekse naam Melissa.

Deborah *v* (Duits, Engels) Zie Debora.

Debra *v* (Engels) Zie Debora.

Dees *m* Zie Desiderius.

Deirdre *v* (Iers) De oorsprong is onzeker. De naam kan verband houden met het Gaelische *deoirid* (met een gebroken hart) of het Keltische *derdriu* (de woedende).

Dekke *m* (Fries) Zie Diede.

Delia *v* Ook **Deliah** gespeld. Een van oorsprong Griekse naam met als betekenis "afkomstig van het eiland Delos". Delia was een bijnaam van de Griekse godin Artemis, die op Delos geboren was.

Deliana *v* Zie Delia.

Delila *v* (Duits) Een Hebreeuwse naam met als betekenis "de smachtende".

Delphin *m* (Frans) Naam afgeleid van het Griekse *delphis*, dat "dolfijn" betekent.

Delphine *v* (Frans) Vrouwelijke vorm van Delphin.

Demetrius *m* Een van oorsprong Griekse naam met als betekenis "zoon van de godin Demeter". Demeter was de godin van de landbouw, de "moeder aarde".

Demi *m* Zie Demetrius.

Demko *m* (Hongaars) Zie Dominicus.

Demmy *v* Zie Dymfna of vrouwelijke vorm afgeleid van Demetrius.

Dempster *m* (Engels) Oorspronkelijk een familienaam met als betekenis "rechter".

Denes *m* (Hongaars) Zie Dionysius.

Denice *v* Vrouwelijke vorm afgeleid van Dionysius.

Denis *m* (Engels, Frans) Zie Dionysius.

Denise *v* (Frans) Vrouwelijke vorm afgeleid van Dionysius.

Dennis *m* (Engels) Zie Dionysius.

Denny *m* Zie Dionysius of Daniel.

Derek *m* Zie Diederik.

Derian *v* Vrouwelijke vorm afgeleid van Diederik.

Derk *m* Zie Diederik.

Derma *v* Naam die vermoedelijk verband houdt met het Griekse woord *derma*, dat "huid" betekent.

Derrick *m* (Engels) Zie Diederik.

Derya *v* Vrouwelijke vorm afgeleid van Diederik.

Desi *m/v* Zie Desiderius.

Desiderius *m* Naam die is afgeleid van het Latijnse *desiderium* (verlangen, begeerte). De betekenis is dus "de gewenste".

Désiré *m* (Frans) Zie Desiderius.

Désirée *v* (Frans) Vrouwelijke vorm afgeleid van Desiderius.

Desmond *m* (Engels) Naam die is afgeleid van de Ierse familienaam *Deas-Mumhain*, met als betekenis "(man uit) South Munster".

Detlef *m* Samenstelling van de Germaanse stamvormen *diet* (volk) en *lêf* (erfenis, nakomeling) of *wolf* (wolf).

Detlev *m* (Duits) Zie Detlef.

Detlof *m* (Scandinavisch) Zie Detlef.

Detmer *m* (Duits) Zie Dietmar.

Devenda *v* Vrouwelijke vorm afgeleid van David.

Devika *v* Zie Dewi.

Devin *m* (Engels) Zie Devon.

Devon *m* (Engels) Oorspronkelijk een familienaam die is afgeleid van het graafschap of de rivier Devon. *Devon* betekent letterlijk "de zwarte rivier".

Dewi *v* (Engels) Koosnaam die is afgeleid van *Dawfydá*, de Welse vorm voor David.

Dexter *m* (Engels) Oorspronkelijk een familienaam met de betekenis "hij die verft". De naam kan ook verband houden met het Latijnse *dexter* (rechtshandig).

Dhelia *v* Zie Delia.

Dian *v* Zie Diana.

Diana *v* De naam houdt waarschijnlijk verband met het Latijnse *deus* (god) of *dies* (dag). In de Romeinse mythologie is Diana onder andere de godin van de maan, het licht en de jacht.

Diane *v* Zie Diana.

Dianta *v* Naam afgeleid van de plantnaam Dianthus, door Linnaeus samengesteld uit *dios* (god) en *anthos* (bloem). De betekenis is dus "goddelijke bloem".

Dick *m* (Engels) Zie Diederik.

Dicky *m* (Engels) Zie Richard of Diederik.

Dico *m* Zie Diederik.

Diderik *m* Zie Diederik.

Didi *v* Zie Diana of vrouwelijke vorm afgeleid van Diede of Didier.

Didier *m* (Frans) Zie Desiderius.

Dido *v* Dido is de bijnaam van de stichtster en koningin van Carthago.

Diede *m* (Fries) Verkorte vorm van namen met de Germaanse stam *diet* (volk).

Diederich *m* (Duits) Zie Diederik.

Diederik *m* Naam samengesteld uit de Germaanse stamvormen *diet* (volk) en *rik* (machtig). Betekenis: "machtig onder het volk".

Diego *m* (Spaans) Zie Jakob.

Dieke *v* (Fries) Zie Dieuwert of Diede.

Diemo *m* (Duits) Zie Dietmar.

Dienke *v* Zie Dina.

Dietbald *m* Samenstelling van de Germaanse stamvormen *diet* (volk) en *bald* (dapper). Betekenis: "de dappere onder het volk".

Dietbert *m* (Duits) Samenstelling van de Germaanse stamvormen *diet* (volk) en *berht* (schitterend). Betekenis: "schitterend onder het volk".

Dieter *m* (Duits) Zie Diederik.

Dietfried *m* (Duits) Samenstelling van de Germaanse stamvormen *diet* (volk) en *frithu* (vrede). Betekenis: "vrede onder het volk".

Dietgard *v* (Duits) Samenstelling van de Germaanse stamvormen *diet* (volk) en *gard* (omheinde ruimte).

Diethild *v* (Duits) Samenstelling van de Germaanse stamvormen *diet* (volk) en *bilt* (strijd). Betekenis: "strijdster onder het volk".

Dietlind *v* (Duits) Samenstelling van de Germaanse stamvormen *diet* (volk) en *lind* (slang). De slang geldt hier als symbool van de wijsheid.

Dietmar *m* (Duits) Samenstelling van de Germaanse stamvormen *diet* (volk) en *mâr* (vermaard). Betekenis: "vermaard onder het volk".

Dietrich *m* (Duits) Zie Diederik.

Dieudonné *m* (Frans) Naam samengesteld uit het Franse *dieu* (god) en *donné* (gegeven). Betekenis: "door God geschonken".

Dieuwert *m* (Fries) Samenstelling van de Germaanse stamvormen *diet* (volk) en *ward* (beschermen). Betekenis: "beschermer van het volk".

Dieuwke *v* (Fries) Vrouwelijke vorm van Dieuwert.

Digna *v* Vrouwelijke vorm afgeleid van Dignus.

Dignus *m* Latijnse naam met als betekenis "waardig".

Dilian *v* Zie Delia.

Diliana *v* Zie Delia.

Dimara *v* Combinatienaam van Dina en Maria.

Dimitri *m* (Slavisch) Zie Demetrius.

Dina *v* De naam kan een verkorte vorm zijn van namen die op -dina eindigen. Als zelfstandige naam is hij van Hebreeuwse oorsprong en luidt de betekenis "rechter".

Dinala *v* Zie Dina.

Dinanda *v* Vrouwelijke vorm afgeleid van Ferdinand.

Dinja *v* Combinatienaam van Dina en Johanna.

Dio *m* Zie Dionysius.

Dion *m* (Engels) Zie Dionysius.

Dionne *v* (Engels) Vrouwelijke vorm afgeleid van Dionysius.

Dionysius *m* Naam van Griekse oorsprong met als betekenis "gewijd aan de god Dionysos". In de Griekse mythologie was Dionysos de god van de wijn, te vergelijken met de Romeinse god Bacchus.

Dirk *m* Zie Diederik.

Ditmar *m* (Duits) Zie Dietmar.

Ditte *v* Zie Edith.

Dittmar *m* (Duits) Zie Dietmar.

Divera *v* Vrouwelijke vorm afgeleid van Dieuwert.

Divinia *v* Naam afgeleid van het Latijnse *divinus*, dat "goddelijk" betekent.

Diwis *m* (Slavisch) Zie Dionysius.

Djoerd *m* (Fries) Naam afgeleid van het Oudfriese woord *diûre*, dat "duur" betekent, in de zin van "kostbaar, dierbaar".

Do *m* Zie Jodocus.

Dobbe *m* (Fries) Mogelijk een verkorte vorm van namen die beginnen met de Germaanse stam *diet* (volk).

Docus *m* Zie Jodocus.

Doede *m* (Fries) Sterk verkorte vorm van de naam Ludolf.

Dok *m* Zie Jodocus.

Dolf *m* Zie Adolf of Rudolf.

Dolinda *v* Combinatienaam van Dora en Linda.

Dolly *v* (Engels) Zie Dorothea.

Dolores *v* (Spaans) Naam gegeven aan Maria. Het Latijnse *Mater Dolorosa* betekent "moeder der smarten". De hiervan afgeleide namen **Lola** en **Lolita** komen uit de kindertaal.

Doma *v* (Slavisch) Vrouwelijke vorm afgeleid van Dominicus.

Doman *m* (Hongaars) Zie Dominicus.

Domenica *v* (Italiaans) Vrouwelijke vorm van Dominicus.

Domenico *m* (Italiaans) Zie Dominicus.

Domingo *m* (Spaans) Zie Dominicus.

Dominicus *m* Latijnse naam met als betekenis "toebehorend aan de Heer" of "geboren op de dag des Heren". Het Spaanse woord *domingo* betekent "zondag".

Dominique *m/v* (Frans) Zie Dominicus.

Don *m* (Engels) Zie Donald.

Donaat *m* Zie Donatus.

Donald *m* (Engels) Naam ontstaan uit de Gaelische naam *Domhnall*, afgeleid van het Keltische *dubnowalis*, dat "wereld en macht" betekent. De betekenis van de naam is dus "wereldheerser". Het is een van de meest gebruikte namen in Schotland.

Donato *m* (Italiaans, Spaans) Zie Donatus.

Donatus *m* Latijnse naam die letterlijk betekent: "geschonken".

Donka *v* (Slavisch) Vrouwelijke vorm afgeleid van Donatus.

Donna *v* (Italiaans) Naam afgeleid van het Latijnse *domina*, dat "mevrouw" betekent.

Donny *m* (Engels) Zie Donald.

Donovan *m* (Engels) Oorspronkelijk een Ierse familienaam met als betekenis "donkerbruin".

Doortje *v* Zie Dorothea.

Dora *v* Zie Dorothea.

Dorathea *v* Zie Dorothea.

Dore *v* Zie Dorothea.

Doreen *v* (Engels) Zie Dorothea.

Dorel *v* (Duits) Zie Dorothea.

Dorian *v* (Engels) Zie Dorothea.

Dorianne *v* Zie Dorothea.

Doriano *m* (Italiaans) Zie Dorothea.

Dorien *v* Zie Dorothea.

Doriet *v* (Duits) Zie Dorothea.

Dorika *v* (Duits) Zie Dorothea.

Dorina *v* Zie Dorothea.

Dorinda *v* (Duits) Zie Dorothea.

Dorine *v* (Frans) Zie Dorothea.

Doris *v* (Engels) Zie Dorothea.

Dorissa *v* Vrouwelijke vorm van Doris.

Dorit *v* (Duits) Zie Dorothea.

Dorith *v* (Engels) Zie Dorothea.

Dorota *v* (Slavisch) Zie Dorothea.

Dorotea *v* (Italiaans, Spaans) Zie Dorothea.

Dorothea *v* Een van oorsprong Griekse naam met als betekenis "geschenk van God". Eigenlijk is het een omkering van de naam **Theodora**.

Dorothée *v* (Frans) Zie Dorothea.

Dorthea *v* Zie Dorothea.

Dorus *m* Zie Theodorus.

Dory *v* Zie Dorothea.

Dot *v* Zie Dorothea.

Dota *v* (Slavisch) Vrouwelijke vorm afgeleid van Donatus.

Douglas *m* (Engels) Oorspronkelijk de naam van een plaats en een rivier, later ook een familienaam en een voornaam. Betekenis: "donkere stroom", van het Keltische *dubhglas*.

Douwe *m* (Fries) De naam betekent waarschijnlijk "duif".

Dragomira *v* (Slavisch) Vrouwelijke vorm afgeleid van Dagomar.

Drewes *m* Zie Andreas.

Dries *m* Zie Andreas.

Duarte *m* (Portugees) Zie Edward.

Duco *m* Zie Doede.

Dudley *m* (Engels) Oorspronkelijk een plaatsnaam en een familienaam met als betekenis "weidegrond van Dudda".

Duive *v* Naam met als betekenis "duif". De duif is het symbool van onschuld, liefde en vrede.

Duke *m* (Engels) Het Engelse *duke* betekent "hertog". Oorspronkelijk was het een familienaam.

Duncan *m* (Engels) Naam afgeleid van het Gaelische *donnschad*, dat "bruine soldaat" betekent.

Dunja *v* (Slavisch) Koosnaam afgeleid van de Griekse naam Eudokia, met als betekenis "de hooggeachte".

Dustin *m* (Engels) De oorsprong en de betekenis van deze naam zijn onzeker.

Dusty *v* (Engels) Vrouwelijke naam afgeleid van Dustin. Het Engelse woord *dusty* betekent "stoffig".

Duurd *m* (Fries) Zie Dieuwert.

Dwight *m* (Engels) Oorspronkelijk een familienaam die waarschijnlijk verband houdt met de naam **Diot**, een koosnaam afgeleid van Dionysius.

Dyana *v* Zie Diana.

Dylan *m* (Engels) Naam die waarschijnlijk is afgeleid van het Welse woord *dylanwad* (invloed). Omdat Dylan de donkere een legendarische zeegod is, wordt de naam meestal verklaard als "zoon van de zee".

Dymfna *v* (Engels) Ook **Dymphna** gespeld. Een van oorsprong Ierse naam waarvan de betekenis onzeker is. De naam is in Vlaanderen bekend geworden door de Ierse Heilige Dympfna, die op de vlucht voor haar vader, een koning, in België belandde en daar door de handlangers van haar vader werd gedood.

Dyveke *v* (Scandinavisch) Zie Duive.

Ebbing *m* (Fries) Zie Ebe.

Ebbo *m* Zie Ebe.

Ebe *m* (Fries) Verkorte vorm van namen met de Germaanse stam *ever* (everzwijn), symbool van kracht en vruchtbaarheid.

Eberhard *m* (Duits) Zie Everhard.

Ebert *m* Zie Everhard.

Eberta *v* (Duits) Vrouwelijke vorm afgeleid van Everhard.

Eckart *m* (Duits) Samenstelling van de Germaanse stamvormen *agi* (zwaard) en *hard* (dapper, sterk). Betekenis: "dapper met het zwaard".

Ed *m* Zie Edgar of Edward.

Edda *v* Verkorte vorm van namen met de Germaanse stam *adal* (edel) of de Oudengelse stam *ead* (erfgoed). Edda is de naam van een verzameling heldensagen uit de Oud-ijslandse literatuur.

Eddie *m* Zie Edward.

Eddy *m* Zie Edward.

Ede *m* (Fries) Verkorte vorm van namen met de Germaanse stam *adal* (edel).

Edgar *m* (Engels, Frans) Samenstelling van de Oudengelse stam *ead* (erfgoed) en de Germaanse stam *gêr* (speer). Betekenis: "beschermer van het erfgoed met de speer".

Edina *v* Vrouwelijke vorm afgeleid van Ed of Ede.

Edith *v* (Engels) Samenstelling van het Oudengelse *ead* (erfgoed) en *gyth* (strijd). Betekenis: "strijdster voor het erfgoed".

Edmée *v* (Frans) Vrouwelijke vorm van Edmund.

Edmond *m* (Frans) Zie Edmund.

Edmonde *v* (Frans) Vrouwelijke vorm van Edmond.

Edmondo *m* (Italiaans) Zie Edmund.

Edmund *m* (Engels) Samenstelling van het Oudengelse *ead* (erfgoed) en *mund* (bescherming). Betekenis: "beschermer van het erfgoed".

Edna *v* Hebreeuwse naam die "plezier, vreugde" betekent.

Edo *m* Zie Ede.

Edoardo *m* (Italiaans) Zie Edward.

Edouard *m* (Frans) Zie Edward.

Edsard *m* (Fries) Zie Edzard.

Eduard *m* Zie Edward.

Edvard *m* (Scandinavisch) Zie Edward.

Edward *m* (Engels) Samenstelling van het Oudengelse *ead* (erfgoed) en *weard* (beschermer, wacht). Betekenis: "beschermer of bewaker van het erfgoed".

Edwige *v* (Italiaans) Zie Hadewig.

Edwin *m* (Engels) Samenstelling van het Oudengelse *ead* (erfgoed) en *win* (vriend). Betekenis: "vriend van het erfgoed".

Edzard *m* (Fries) Zie Eckart.

Eelco *m* (Fries) Zie Ale.

Effi *v* (Duits) Vrouwelijke vorm afgeleid van Alfred.

Effie *v* Zie Elfried of Eufemia.

Egbert *m* (Fries) Samenstelling van de Germaanse stamvormen *agi* (zwaard) en *berht* (schitterend). Betekenis: "schitterend zwaard".

Egbrecht *m* (Duits) Zie Egbert.

Eggo *m* (Fries) Zie Egbert.

Egidio *m* (Italiaans) Zie Aegidius.

Egied *m* Zie Aegidius.

Egmond *m* Samenstelling van de Germaanse stamvormen *agi* (zwaard) en *mund* (beschermer). Betekenis: "beschermer van het zwaard".

Egmund *m* (Duits) Zie Egmond.

Egon *m* (Duits) Koosnaam afgeleid van namen met de Germaanse stam *agi* (zwaard).

Eibeltje *v* (Fries) Vrouwelijke vorm afgeleid van Egbert.

Eibert *m* (Fries) Zie Egbert.

Eida *v* (Fries) Zie Aleida.

Eileen *v* (Engels) Keltische vorm van de naam Helen of Evelyn, met als oorsprong een Gaelisch woord dat "plezierig, mooi" betekent.

Eirik *m* (Scandinavisch) Zie Erik.

Eise *m* (Fries) Verkorte vorm van namen met de Germaanse stam *agi* (zwaard) of *eis* (schrik).

Ela *v* (Slavisch) Zie Helena.

Elaine *v* (Frans) Zie Helena.

Elard *m* (Fries) Mogelijk is deze naam een variant van Adelhard.

Elbert *m* (Fries) Zie Adelbert.

Elcke *v* (Duits) Vrouwelijke vorm afgeleid van Alexander.

Elco *m* (Fries) Zie Ale.

Eleanore *v* (Engels) Zie Eleonora. Ook **Eleanor** gespeld.

Elefteria *v* Naam afgeleid van het Griekse *eleutherios*, dat "de bevrijder" betekent.

Elek *m* (Hongaars) Zie Alexius.

Elena *v* (Italiaans) Zie Helena.

Eleonora *v* De oorsprong van deze naam is onzeker. Hij kan een afleiding zijn van het Griekse *eleos*, dat "genade, medelijden" betekent. De naam kan ook van Arabische oorsprong zijn en verband houden met het Arabische woord *Ellinor*, dat "mijn God is mijn licht" betekent.

Eleonore *v* (Engels) Zie Eleonora.

Elfi *v* (Duits) Vrouwelijke vorm afgeleid van Alfred.

Elfie *v* Zie Elfried of Elvira.

Elfred *m* (Engels) Zie Alfred.

Elfried *v* Samenstelling van de Germaanse stamvormen *alf* (elf, bovennatuurlijk wezen) en *frithu* (vrede). Of een vrouwelijke vorm afgeleid van Alfred. Ook **Elfrieda** en **Elfriede**.

Elga *v* (Duits) Zie Helga.

Elgar *m* (Engels) Samenstelling van de Germaanse stamvormen *adal* (edel) en *gêr* (speer). Betekenis:

"edele met de speer".

Elger *m* (Fries) Zie Elgar.

Elgin *v* (Duits) Zie Helga.

Eli *m/v* Hebreeuwse naam die "hoogte, verhevenheid" betekent.

Elia *m* Hebreeuwse naam met als betekenis "Jahweh is mijn God".

Elian *m/v* Zie Elia. Of combinatie-naam van Eli en Johannes.

Eliane *v* (Frans) Vrouwelijke vorm van Elia.

Eliano *m* (Italiaans) Zie Elia.

Elias *m* Zie Elia.

Eligius *m* Latijnse naam, afgeleid van het woord *eligere* (uitkiezen).

Elin *v* (Scandinavisch) Zie Helena.

Elina *v* Zie Helena.

Eline *v* (Frans) Zie Helena.

Elion *m* Zie Eli.

Elisa *v* Zie Elisabeth.

Elisabeth *v* De Hebreeuwse naam *Elisjeba* betekent "ik zweer bij God". De naam heeft een grote versprei-ding en kent heel veel varianten.

Elisabetta *v* (Italiaans) Zie Elisa-beth.

Elise *v* (Frans) Zie Elisabeth.

Eliselore *v* (Duits) Combinatienaam van Elise en Eleonora.

Eliza *v* (Engels) Zie Elisabeth.

Elizabeth *v* (Engels) Zie Elisabeth.

Elke *v* Zie Adelheid.

Ella *v* Zie Elisabeth.

Elle *v* Zie Adelheid.

Ellen *v* Zie Eleonora of Helena.

Elli *v* (Duits) Zie Elisabeth.

Ellis *v* Zie Alice of Elisabeth.

Elly *v* (Engels) Koosnaam afgeleid van namen die beginnen met El-, zoals Elisabeth of Ellen.

Ellymay *v* (Engels) Combinatie-naam van Elisabeth en Maria.

Elma *v* (Duits, Engels) Vrouwelijke vorm afgeleid van Wilhelm.

Elmar *m* Zie Adelmar.

Elmas *m* Zie Erasmus.

Elmira *v* (Spaans) Variant van het Arabische *Amiera*, dat "prinses" betekent.

Elmo *m* Zie Elmar of Erasmus.

Elmo *m* (Italiaans) Zie Erasmus.

Elna *v* (Scandinavisch) Zie Helena.

Elodie *v* Samensteling van de Ger-maanse stamvormen *al* (allemaal) en *ôd* (erfgoed, bezit). Betekenis: "alle-maal rijkdom" of "een en al rijk-dom".

Eloy *m* (Frans) Ook **Eloi** gespeld. Variant van de Latijnse naam **Eligi-us**. Zie Eligius.

Els *v* Zie Elisabeth.

Elsa *v* Zie Elisabeth.

Else *v* Zie Elisabeth.

Eltina *v* Vrouwelijke vorm afgeleid van Ale.

Elvera *v* Zie Elvira.

Elvira *v* (Spaans) Waarschijnlijk is de naam een samenstelling van de Germaanse stamvormen *adal* (edel) en *wâr* (waar).

Elvis *m* (Keltisch) Oorspronkelijk een Schotse plaatsnaam en familie-naam (ook Alves). De naam kan ook een variant zijn van de Germaanse naam Alwis, met als betekenis "de alwijze".

Elwin *m* (Engels) Een variant van de oude naam Adelwijn, die "edele vriend" betekent.

Ely *v* Zie Elisabeth of Eli.

Elza *v* (Engels) Zie Elisabeth.

Emanuel *m* Zie Immanuel.

Emanuelle *v* Vrouwelijke vorm van Emanuel.

Emek *m* (Arabisch) De betekenis is waarschijnlijk "vallei".

Emelie *v* Vrouwelijke vorm afgeleid van Aemilius. Ook **Emilie** gespeld.

Emeline *v* Vrouwelijke vorm afge-leid van Aemilius.

Emerentius *m* Een Latijnse naam afgeleid van *emereo* (ik verdien veel).

Emiel *m* Zie Aemilius.

Emil *m* (Duits, Scandinavisch) Zie Aemilius.

Emile *m* (Frans) Zie Aemilius.

Emilia *v* Vrouwelijke vorm van Aemilius. Ook **Emilie**.

Emilio *m* (Italiaans, Spaans) Zie Aemilius.

Emily *v* (Engels) Vrouwelijke vorm afgeleid van Aemilius.

Emma *v* Verkorte vorm van namen die beginnen met de Germaanse

stam *irmin* (groot, geweldig).

Emmanuel *m* Zie Immanuel.

Emmanuelle *v* Vrouwelijke vorm van Emmanuel.

Emmeline *v* (Engels) Afleiding van een naam met de Germaanse stam *amal* (inspanning).

Emmerik *m* Samenstelling van de Germaanse stamvormen *irmin* (groot, geweldig) en *rîk* (rijk, mach-tig). De naam kan ook een variant zijn van de oude naam Amalric en betekent dan "machtig in de strijd".

Emmert *m* (Fries) Samenstelling van de Germaanse stamvormen *irmin* (groot, geweldig) en *hard* (sterk, dapper).

Emmo *m* Koosnaam afgeleid van namen met de Germaanse stam *irmin* (groot, geweldig).

Emmy *v* Zie Emma.

Emond *m* Samenstelling van de Germaanse stamvormen *ee* (wet) en *mund* (beschermer). Betekenis: "beschermer van de wet".

Ems *v* Zie Emma.

Ene *m* (Fries) Sterk verkorte vorm van namen met de Germaanse stam *agi* (zwaard).

Engbert *m* (Duits) Samenstelling van het Germaanse *Ing* (bijnaam van de god Freyr) en *berht* (schitte-rend).

Engelbert *m* (Duits) Samenstelling van de Germaanse stamvormen *angel* (lid van de stam der Angelen) en *berht* (schitterend).

Engelien *v* Zie Angela.

Enja *v* Zie Anna of vrouwelijke vorm van Ene.

Enrico *m* (Italiaans) Zie Hendrik.

Enz *m* (Zwitsers) Zie Laurentius.

Enzeli *m* (Zwitsers) Zie Laurentius.

Enzio *m* (Italiaans) Zie Hendrik.

Enzo *m* Zie Ene.

Erasmo *m* (Italiaans) Zie Erasmus.

Erasmus *m* (Grieks) Naam afgeleid van het Griekse *erasmios*, dat "beminnelijk" betekent.

Erdmann *m* (Duits) Deze naam is de letterlijke vertaling van Adam: "man van aarde" of "man uit de aarde geschapen".

Erdy *m* Zie Erdmann.

Erhard *m* (Duits) Samenstelling van de Germaanse stamvormen *ever* (everzwijn) en *hard* (dapper, sterk). Betekenis: "sterk als een everzwijn".

Eric *m* (Engels) Zie Erik.

Erica *v* (Engels) Vrouwelijke vorm van Erik.

Erich *m* (Duits) Zie Erik.

Erienne *m* Zie Adriaan.

Erik *m* Samenstelling van de Germaanse stamvormen *ein* (alleen) en *rîk* (rijk, machtig). Betekenis: "de enige macht" of "hij die alleen heerst". De naam kan ook een samenstelling zijn van de Germaanse stamvormen *ee* (wet) en *rîk* (rijk, machtig). De betekenis zou dan "heerser van de wet" zijn.

Erika *v* Vrouwelijke vorm van Erik.

Ermanno *m* (Italiaans) Zie Herman.

Ermelinda *v* Vlaamse naam samengesteld uit de Germaanse stamvormen *irmin* (groot, geweldig) en *lind* (slang of schild van lindehout).

Ermie *v* Koosnaam afgeleid van namen met de Germaanse stam *irmin* (groot, geweldig).

Ermino *m* (Italiaans) Zie Herman.

Erna *v* (Duits) Vrouwelijke vorm afgeleid van Ernst.

Ernest *m* (Engels, Frans) Zie Ernst.

Ernesta *v* Vrouwelijke vorm van Ernst.

Ernestine *v* (Frans) Vrouwelijke vorm van Ernst.

Ernesto *m* (Italiaans, Spaans) Zie Ernst.

Erno *m* Zie Ernst.

Ernst *m* Germaanse naam met als betekenis "ernst, vastberadenheid".

Errol *m* (Engels) Zie Harald. Ook **Erol** gespeld.

Erwin *m* Samenstelling van de Germaanse stamvormen *ever* (everzwijn) en *win* (vriend). De naam kan ook een variant zijn van de oude naam Herwijn en betekent dan "vriend van het leger".

Ese *m* (Fries) Sterk verkorte vorm van namen met de Germaanse stam *ase* (god).

Eska *v* (Fries) Vrouwelijke vorm van Ese.

Esli *m* Hebreeuwse naam die "Jahweh heeft beschermd" of "beschermeling van God" betekent.

Esmee *v* (Engels) Ook **Esmée** (Frans) gespeld. De betekenis is onzeker. De naam kan afgeleid zijn van het Oudfranse *esmer* (liefhebben) en betekent dan "de beminde". Hij kan ook een verkorte vorm zijn van Esmeralda. Zie aldaar.

Esmeralda *v* (Spaans) Betekent letterlijk "smaragd".

Esmond *m* (Engels) Samenstelling van de Germaanse stamvormen *ase* (god) en *mund* (bescherming). Betekenis: "beschermd door God".

Esper *m* (Scandinavisch) Deense variant van de naam **Esbern**, die "goddelijke beer" betekent.

Esra *v* Ook **Ezra** gespeld. Hebreeuwse naam die "hulp" betekent. De Latijns-Griekse vorm van deze naam is **Esdras**.

Estéban *m* (Spaans) Zie Stephan.

Estévan *m* (Spaans) Zie Stephan.

Estella *v* (Italiaans, Spaans) Zie Stella.

Estelle *v* (Frans) Zie Stella.

Esther *v* De naam is van bijbelse herkomst en is waarschijnlijk afgeleid van het Perzische *isjitar*, dat "ster" of "liefelijke jonkvrouw" betekent. De Hebreeuwse vorm van de naam is Hadassah en betekent "mirte". Ook **Ester** gespeld.

Estrella *v* (Spaans) De letterlijke betekenis van deze naam is "ster". Zie ook Stella.

Estrelle *v* (Italiaans, Spaans) Zie Stella.

Ethel *v* (Engels) Verkorte vorm van namen met de Oudengelse stam *aethel* (edel, adel).

Ethia *v* (Fries) Zie Ethel.

Etienne *m* (Frans) Variant van de naam Stefanus.

Etiennette *v* (Frans) Vrouwelijke vorm van Etienne.

Eufemia *v* Griekse naam die "welsprekendheid" of "goede naam" betekent.

Eugène *m* (Frans) Zie Eugenius.

Eugénie *v* (Frans) Vrouwelijke vorm van Eugenius.

Eugenio *m* (Italiaans, Spaans) Zie Eugenius.

Eugenius *m* Griekse naam die "welgeboren, van goede afkomst" betekent.

Eunice *v* Vlaamse naam samengesteld uit de Griekse stamvormen *eu* (goed) en *nikè* (overwinning).

Eustachius *m* Samenstelling van de Griekse stamvormen *eu* (goed) en *stachus* (korenaar, vrucht). Betekenis: "vruchtbaar".

Eva *v* Hebreeuwse naam met als betekenis "de leven gevende". Eva was de eerste vrouw, de stammoeder van het menselijk geslacht.

Evan *m* (Keltisch, Scandinavisch) Zie Johannes.

Eve *v* (Engels, Frans) Zie Eva.

Evelien *v* Zie Eva.

Eveline *v* Zie Eva. Ook **Evelyne** (Frans) gespeld.

Everaud *m* (Frans) Zie Everhard.

Everbert *m* Samenstelling van de Germaanse stamvormen *ever* (everzwijn) en *berht* (schitterend). Betekenis: "schitterend als een everzwijn". De ever was bij de Germanen het symbool van kracht, moed en vruchtbaarheid.

Everhard *m* Dit is een samenstelling van de Germaanse stamvormen *ever* (everzwijn) en *hard* (sterk, dapper). Het betekent dus : "sterk of dapper als een everzwijn". De ever was bij de Germanen het symbool van

kracht, moed en vruchtbaarheid.

Evert *m* Zie Everhard.

Evita *v* (Spaans) Zie Eva.

Evy *v* (Engels) Zie Eva.

Ewald *m* (Duits) Samenstelling van de Germaanse stamvormen *ewa* (wet) en *wald* (heersen). Betekenis: "heerser volgens de wet".

Ewan *m* (Keltisch) Variant van de naam **Eoghan**, met als betekenis "jongeling" of "welgeborene".

Ewart *m* (Fries) Samenstelling van de Germaanse stamvormen *ewa* (wet) en *wardan* (beschermer). Betekenis: "beschermer van de wet". Ook **Eward** gespeld.

Ewoud *m* Zie Ewald.

Exan *m* (Arabisch) Verkorte variant van Iskander.

Ezabella *v* Zie Elisabeth.

Ezra *m/v* Zie Esra.

Ezzo *m* (Italiaans) Zie Adolf.

Faas *m* Zie Bonifatius, Gervaas of Servatius.

Fabian *m* Zie Fabianus.

Fabien *m* (Frans) Zie Fabianus.

Fabiano *m* (Italiaans) Zie Fabianus.

Fabianus *m* Naam die waarschijnlijk is afgeleid van het Latijnse *faba* (boon) en mogelijk "verbouwer van bonen" betekent. Een andere verklaring is "afkomstig van de stad Fabiae".

Fabienne *v* (Frans) Vrouwelijke vorm van Fabianus.

Fabijan *m* (Slavisch) Zie Fabianus.

Fabio *m* (Italiaans) Zie Fabianus.

Fabiola *v* Latijnse naam die is afgeleid van de naam Fabius, met dezelfde betekenis als Fabianus (zie aldaar).

Fabrice *m* (Frans) Zie Fabricius.

Fabricius *m* Naam die is afgeleid van het Latijnse *faber* (handwerksman, kunstig).

Fabrienne *v* Vrouwelijke vorm afgeleid van Fabricius.

Fabó *m* (Hongaars) Zie Fabianus.

Fagmar *v* (Scandinavisch) Waarschijnlijk een samenstelling van de Germaanse stamvormen *fagur* (mooi) en *mâr* (vermaard), dus: "vermaard door haar schoonheid".

Faith *v* (Engels) Betekent letterlijk "geloof, vertrouwen".

Falco *m* Naam die ontstaan is uit het Germaanse *falk* (met een vale kleur) of uit *walha* (vreemde).

Fallon *v* (Engels) Vrouwelijke vorm afgeleid van Valentinus.

Famke *v* (Fries) Zie Femme.

Fancy *v* (Engels) Betekent letterlijk "fantasie, verbeelding".

Fane *m* Zie Stefanus.

Fania *v* Vrouwelijke vorm afgeleid van Stefanus.

Fanni *v* (Hongaars) Vrouwelijke vorm afgeleid van Franciscus.

Fannie *v* Vrouwelijke vorm afgeleid van Franciscus of Stefanus.

Fanny *v* (Engels) Vrouwelijke vorm afgeleid van Franciscus of Stefanus.

Farah *v* (Arabisch) De naam betekent "vreugde".

Farahilde *v* Samenstelling van de Germaanse stamvormen *faran* (reizen, varen) en *hild* (strijd). Betekenis: "reizende strijdster". De Vlaamse vorm van deze naam is **Veerle**.

Farried *m* (Arabisch) De naam betekent "de unieke".

Fatih *m* (Arabisch) De naam is mogelijk afgeleid van *fatiha* (dat wat begint), het openingswoord van de Koran.

Fatima *v* (Arabisch) De betekenis is onzeker. Fatima (606-632) was de dochter van Mohammed. De naam Fatima kan ook verwijzen naar de plaatsnaam Fatima in Portugal, waar in 1917 Maria verscheen en dat nu een bedevaartplaats is.

Fausto *m* (Italiaans) Zie Faustus.
Faustus *m* Latijnse naam met als betekenis "geluk voorspellend".
Fay *v* (Engels) Zie Faith.
Faye *v* (Engels) Zie Faith.
Fe *m* Zie Felix.
Feargal *m* (Keltisch) Betekent letterlijk "man van kracht".
Febri *v* Naam gegeven aan een meisje dat in februari geboren is. Te vergelijken met de voornamen **June** en **May**.
Fedda *v* (Fries) Vrouwelijke vorm van Fedde.
Fedde *m* (Fries) Verkorte vorm van namen met de Germaanse stam *frithu* (vrede).
Fedder *m* (Duits) Zie Frederik.
Fedderi *m* (Italiaans) Zie Frederik.
Feddrik *m* Zie Frederik.
Federica *v* (Italiaans) Vrouwelijke vorm afgeleid van Frederik.
Federico *m* (Italiaans) Zie Frederik.
Federigo *m* (Spaans) Zie Frederik.
Fedor *m* (Slavisch) Zie Theodorus.
Feel *m* Zie Felix.
Fekke *m* (Fries) Verkorte vorm van namen met de Germaanse stam *frithu* (vrede).
Felice *m* (Italiaans) Zie Felix.
Felice *v* Vrouwelijke vorm van Felix.
Felicia *v* Vrouwelijke vorm van Felix.
Feliciaan *m* Zie Felix.

Félicien *m* (Frans) Zie Felix.
Félicienne *v* (Frans) Zie Felix.
Felicitas *v* (Spaans) Betekent letterlijk "gelukkige toestand". In de Romeinse mythologie is Felicitas de godin van geluk en vruchtbaarheid.
Felien *v* Vrouwelijke vorm afgeleid van Rafael of Felix.
Feliks *m* (Slavisch) Zie Felix.
Felipa *v* (Spaans) Vrouwelijke vorm afgeleid van Philip.
Felipe *m* (Spaans) Zie Philip.
Felix *m* Latijnse naam die letterlijk "vruchtbaar, gelukkig, geluk brengende" betekent. Ook **Félix** (Frans) gespeld.
Femia *v* Zie Eufemia.
Femke *v* (Fries) Zie Femme.
Femma *v* Zie Femme.
Femme *m* (Fries) Verkorte vorm van het Germaanse *fredmâr*, dat "vermaard door vrede" betekent. In het Frans betekent *femme* "vrouw".
Femmy *v* Zie Eufemia of Femme.
Fen *m* (Fries) Zie Ferdinand.
Fenella *v* (Keltisch) Samenstelling van het Gaelische *fionn* (wit) en *guala* (schouders). Betekenis: "met blanke schouders".
Fenna *v* (Fries) Vrouwelijke vorm afgeleid van Ferdinand.
Fenno *m* Zie Ferdinand.
Feodor *m* (Slavisch) Zie Theodorus.
Feodora *v* (Slavisch) Vrouwelijke vorm afgeleid van Theodorus.

Feodosi *m* (Slavisch) Zie Theodosius.

Feodosia *v* (Slavisch) Vrouwelijke vorm afgeleid van Theodosius.

Fera *v* Zie Fere of Vera.

Ferd *m* Zie Ferdinand.

Ferdi *m* Zie Ferdinand.

Ferdinand *m* Naam afgeleid van de Westgotische naam *Fridunanth*, met als betekenis "moedige beschermer".

Fere *m* (Fries) Verkorte vorm van namen met de Germaanse stam *frithu* (vrede) of *ferhdh* (geest, verstand).

Ferenc *m* (Hongaars) Zie Franciscus.

Fergus *m* (Keltisch) Naam samengesteld uit de Keltische woorden *fer* (mannelijk, hoogste) en *gusti* (smaak, keuze). Betekenis: "hoogste keuze".

Ferguut *m* (Keltisch) Naam samengesteld uit de Keltische woorden *fer* (mannelijk, hoogste) en *gusti* (smaak, keuze). Betekenis: "hoogste keuze".

Ferike *v* (Hongaars) Vrouwelijke vorm afgeleid van Franciscus.

Ferinand *m* Zie Ferdinand.

Fernand *m* (Frans) Zie Ferdinand.

Fernande *v* (Frans) Zie Ferdinand.

Fernandez *m* (Spaans, Portugees) Zie Ferdinand.

Fernando *m* (Italiaans, Spaans) Zie Ferdinand.

Ferona *v* Zie Veronica of vrouwelijke vorm van Fere.

Feronia *v* Zie Veronica of vrouwelijke vorm van Fere.

Ferran *m* Zie Ferdinand.

Ferrand *m* (Frans) Zie Ferdinand.

Ferre *m* (Fries) Verkorte vorm van namen met de Germaanse stam *frithu* (vrede) of *ferhdh* (geest, verstand).

Ferron *m* (Frans) Zie Ferdinand.

Ferry *m* (Frans) Zie Ferdinand.

Feyo *m* Verkorte vorm van namen met de Germaanse stam *frithu* (vrede).

Feyona *v* (Fries) Vrouwelijke vorm van Feyo.

Fia *v* Zie Sofia.

Fianna *v* Combinatienaam van Sofia en Anna.

Fida *v* Naam afgeleid van het Latijnse *fidus*, dat "trouw, betrouwbaar" betekent.

Fidèle *m* (Frans) Zie Fida.

Fiel *m* Zie Theofilus.

Fien *v* Vrouwelijke vorm afgeleid van Jozef of Adolf.

Filibert *m* Samenstelling van de Germaanse stamvormen *felu* (veel, zeer) en *berht* (schitterend). Betekenis: "zeer schitterend". Onder invloed van Griekse namen zoals Philippus ook **Philibert** gespeld.

Filiberto *m* (Italiaans) Zie Filibert.

Filip *m* Zie Philip.

Filipa *v* (Slavisch) Vrouwelijke vorm van Philip.

Filippa *v* (Italiaans) Vrouwelijke vorm van Philip.

Filippo *m* (Italiaans) Zie Philip.

Filko *m* (Hongaars) Zie Philip.

Filomeen *v* Vlaamse naam die is afgeleid van het Griekse *philoemenè* (de geliefde). Ook de vormen **Filomela** en **Filomena** bestaan.

Fimke *v* Zie Femme.

Finetta *v* Vrouwelijke vorm afgeleid van Jozef of Adolf.

Fiola *v* Zie Viola.

Fiona *v* (Keltisch) Naam afgeleid van het Gaelische *fionn*, dat "wit, blond" betekent.

Fioretta *v* (Italiaans) Zie Flora.

Firmijn *m* Zie Firminus.

Firmin *m* (Frans) Zie Firminus.

Firminus *m* Naam afgeleid van het Latijnse *firmus*, dat "stevig, standvastig" betekent.

Fjodor *m* (Slavisch) Zie Theodorus.

Fjodora *v* (Slavisch) Vrouwelijke vorm afgeleid van Theodorus.

Flavio *m* (Italiaans) Zie Flavius.

Flavius *m* Naam die waarschijnlijk is afgeleid van het Latijnse *flavens*, dat "geel, blond" betekent.

Fleur *v* (Frans) Betekenis "bloem". Zie ook Flora.

Flip *m* Zie Filip.

Floor *v* Zie Flora.

Flor *m* Zie Florentius.

Flora *v* Latijnse naam die "bloem" betekent. In de Romeinse mythologie was Flora de godin van de bloeiende gewassen en van de lente.

Floran *m* Zie Florentius.

Flore *v* (Frans) Zie Flora.

Florence *v* (Engels, Frans) Vrouwelijke vorm van Florentius.

Florens *m* Zie Florentius.

Florent *m* (Frans) Zie Florentius.

Florentine *v* (Frans) Zie Florentius.

Florentius *m* Naam die is afgeleid van het Latijnse *florens*, dat "bloeiend, bekoorlijk" betekent.

Floretta *v* (Spaans) Zie Flora.

Floria *v* (Duits) Zie Flora.

Floriaan *m* (Duits) Zie Florentius.

Florian *m* (Duits) Zie Florentius.

Florien *v* Zie Flora.

Florin *m* (Duits) Zie Florentius.

Florina *v* (Duits) Zie Flora.

Florine *v* (Frans) Zie Florentius.

Floris *m* Zie Florentius.

Flóris *m* (Hongaars) Zie Florentius.

Florrie *v* (Engels) Zie Flora.

Florry *v* (Engels) Zie Flora.

Flossie *v* (Engels) Vrouwelijke vorm van Florentius.

Fobke *v* (Fries) Zie Foppe.

Fokke *m* (Fries) Zie Folke.

Folke *m* (Fries) Verkorte vorm van namen met de Germaanse stam *folk* (volk).

Folker *m* Samenstelling van de Germaanse stamvormen *folk* (volk) en *heri* (leger). Betekenis: "volksleger".

Folkert *m* Samenstelling van de Germaanse stamvormen *folk* (volk) en *hard* (sterk, dapper). Betekenis: "de sterke onder het (krijgs)volk".

Folmer *m* Zie Volmer.

Fonne *m* Zie Alfons.

Fons *m* Zie Alfons.

Foppe *m/v* (Fries) Verkorte vorm van namen met de Germaanse stam *folk* (volk).

Foran *m* (Iers) Waarschijnlijk een verkorte vorm van **Forannan**, naam van een Ierse missionaris.

Fóris *m* (Hongaars) Zie Florentius.

Fran *v* Vrouwelijke vorm afgeleid van Franciscus.

Franca *v* Vrouwelijke vorm afgeleid van Franciscus.

Francella *v* (Italiaans) Vrouwelijke vorm afgeleid van Franciscus.

France *v* (Frans) Vrouwelijke vorm van Franciscus.

Frances *v* Vrouwelijke vorm afgeleid van Franciscus.

Francesca *v* (Italiaans) Vrouwelijke vorm van Franciscus.

Francesco *m* (Italiaans) Zie Franciscus.

Francine *v* (Frans) Vrouwelijke vorm afgeleid van Franciscus.

Francis *m* (Engels, Frans) Zie Franciscus.

Francisco *m* (Spaans) Zie Franciscus.

Franciscus *m* De naam is afkomstig van Franciscus van Assisi (geboren in de 12de eeuw). Hij heette eigenlijk Giovanni, maar na een reis in Frankrijk noemde zijn vader hem *Francesco* (Fransman). Deze naam werd gelatiniseerd tot Franciscus en kent vele afleidingen en varianten.

Franciska *v* (Slavisch) Vrouwelijke vorm van Franciscus.

Francisque *m* (Frans) Zie Franciscus.

Franciszka *v* (Hongaars) Vrouwelijke vorm van Franciscus.

Franco *m* (Italiaans, Spaans) Zie Franciscus.

François *m* (Frans) Zie Franciscus.

Françoise *v* (Frans) Vrouwelijke vorm afgeleid van Franciscus.

Franda *v* Combinatienaam van Frank en Jolanda.

Franek *m* (Slavisch) Zie Franciscus.

Franeka *v* (Slavisch) Vrouwelijke vorm afgeleid van Franciscus.

Franja *v* (Slavisch) Vrouwelijke vorm afgeleid van Franciscus.

Frank *m* Zie Franciscus.

Franklin *m* (Engels) Verkleinvorm van Frank.

Franny *v* (Engels) Vrouwelijke vorm afgeleid van Franciscus.

Frans *m* Zie Franciscus.

Franz *m* (Duits) Zie Franciscus.

Franzi *v* (Duits) Vrouwelijke vorm afgeleid van Franciscus.

Franziska *v* (Duits) Vrouwelijke vorm van Franciscus.

Frauke *v* (Fries) Zie Frouwe.

Fre *m* Zie Frederik.

Frea *v* Zie Freija of vrouwelijke vorm afgeleid van Frederik.

Fred *m* Zie Alfred, Frederik of Manfred.

Freda *v* Vrouwelijke vorm afgeleid van Frederik of Winfried.

Freddy *m* Zie Frederik.

Frédéric *m* (Frans) Zie Frederik.

Frederica *v* Vrouwelijke vorm van Frederik.

Frederik *m* Samenstelling van de Germaanse stamvormen *frithu* (vrede) en *rîk* (rijk, machtig). Betekenis: "machtig door vrede".

Frédérique *m/v* (Frans) Vrouwelijke vorm van Frederik.

Fredrik *m* (Scandinavisch) Zie Frederik.

Freek *m* Zie Frederik.

Freija *v* Ook **Freya** gespeld. In de Germaanse mythologie is Freya de godin van de liefde en van het huwelijk. De naam is verwant met het woord "vrouw" en heeft als oorspronkelijke betekenis "heerseres".

Frenk *m* Zie Franciscus.

Frerich *m* (Duits) Zie Frederik.

Frido *m* (Duits) Zie Frederik.

Frieda *v* Zie Freda of vrouwelijke

vorm afgeleid van Frederik, Alfred of Winfried.

Friedel *m* (Duits) Zie Frederik of Godfried.

Friederike *v* (Duits) Vrouwelijke vorm afgeleid van Frederik.

Friedrich *m* (Duits) Zie Frederik.

Frigyes *m* (Hongaars) Zie Frederik.

Frika *v* (Duits) Vrouwelijke vorm afgeleid van Frederik.

Friso *m* (Fries) Betekent letterlijk "de Fries". Friso is de mythologische stamvader van de Friezen.

Frithjof *m* (Scandinavisch) Samenstelling van de Germaanse stamvormen *frithu* (vrede) en *theubha* (dief) of *thewa* (slaaf, dienaar). Betekenis: "dief of dienaar van de vrede".

Frits *m* Zie Frederik.

Fritz *m* (Duits) Zie Frederik.

Frodo *m* Naam afgeleid van het Germaanse *frôd*, dat "vroed, wijs" betekent. Frodo is de hoofdpersoon in "In de ban van de ring" van J.R.R. Tolkien.

Frouke *v* (Fries) Zie Frouwe.

Frouwe *v* (Fries) Naam afgeleid van het Germaanse *fraujôn*, dat "meesteres, vrouw" betekent. Ook het Nederlandse woord "vrouw" is hiervan afgeleid.

Fryderyk *m* (Slavisch) Zie Frederik.

Fülöp *m* (Hongaars) Zie Philip.

Gabe *m* (Fries) Verkorte vorm van namen met de Germaanse stam *gebhan* (geven, gastvrij zijn).

Gabi *m/v* (Duits) Zie Gabriel.

Gábor *m* (Hongaars) Zie Gabriel.

Gabriel *m/v* Ook **Gabriël** gespeld. Hebreeuwse naam die "man van God" betekent. Het is de naam van een van de aartsengelen.

Gabriela *v* Vrouwelijke vorm van Gabriel.

Gabriele *v* (Duits) Vrouwelijke vorm van Gabriel.

Gabriella *v* (Italiaans) Vrouwelijke vorm van Gabriel.

Gabrielle *v* (Frans) Vrouwelijke vorm van Gabriel.

Gabriello *m* (Italiaans) Zie Gabriel.

Gabrio *m* (Italiaans) Zie Gabriel.

Gabry *v* (Engels) Vrouwelijke vorm afgeleid van Gabriel.

Gaby *v* (Engels) Vrouwelijke vorm afgeleid van Gabriel.

Gaddo *m* (Italiaans, Spaans) Zie Gerhard.

Gaia *v* Naam afgeleid van het Griekse *gè*, dat "aarde" betekent. In de Griekse mythologie is de godin Gaia ontstaan uit de chaos. Zij is de verpersoonlijking van de aarde.

Gaius *m* Latijnse naam die letterlijk "Vlaamse gaai" betekent. De naam kan ook verband houden met het Latijnse werkwoord *gaudere* (zich verheugen).

Galdo *m* (Italiaans, Spaans) Zie Gerhard.

Galina *v* (Slavisch) Zie Helena.

Galinda *v* Zie Galina.

Gandalf *m* Samenstelling van de Germaanse stamvormen *gand* (toverij) en *alf* (elf, bovenaards wezen). Betekenis: "elf met toverkracht". In "De Hobbit" en "In de ban van de ring" van J.R.R. Tolkien is Gandalf een tovenaar.

Gandert *m* Samenstelling van de Germaanse stamvormen *gand* (toverij) en *hard* (sterk, dapper). Betekenis: "sterk of dapper door toverkracht".

Gandor *m* Zie Gandert.

Ganna *v* (Fries) Vrouwelijke vorm afgeleid van Gandert.

Garben *m* Samenstelling van de Germaanse stamvormen *gêr* (speer) en *beran* (beer).

Garda *v* Vrouwelijke vorm afgeleid van Gerhard.

Gardina *v* Vrouwelijke vorm afgeleid van Gerhard.

Garin *m* Van oorsprong een Romaanse naam, die ontstaan is uit het Germaanse *warin* (bewaren, acht slaan op).

Garina *v* Vrouwelijke vorm van Garin.

Garm *m* Mogelijk een verkorting van de naam Germar.

Garret *m* (Engels) Zie Gerard.

Gary *m* (Engels) Zie Gerard.

Gaspard *m* (Frans) Zie Caspar.

Gaspare *m* (Italiaans) Zie Caspar.

Gasparo *m* (Italiaans) Zie Caspar.

Gaston *m* (Frans) De oorsprong is
onzeker. Het kan gaan om een
verfransing van de Vlaamse naam
Waast, die zelf een verkorte vorm is
van Vedastus. De betekenis is dan
"gastheer".

Gauke *v* (Fries) Vrouwelijke vorm
van Gauwe.

Gauwe *m* (Fries) Naam afgeleid van
het Germaanse *gauja*, dat "bewoner
van de gouw" betekent.

Gavin *m* (Schots) Zie Gawein.

Gawein *m* (Keltisch) Naam bekend
uit de Arthur-romans. Mogelijk is
de naam ontstaan uit het Keltische
Gwalchgwyn en betekent hij "de
witte valk" of "de witte havik".

Gawril *m* (Slavisch) Zie Gabriel.

Gay *v* (Engels) Naam ontstaan uit
het Oudfranse *gai*, dat "vrolijk"
betekent. In het Engels heeft *gay* de
bijbetekenis van homoseksueel.

Gea *v* Zie Geertruida, Gaia of vrouwelijke vorm afgeleid van Gerard.

Geanne *v* Zie Jeanne. Of combinatienaam van Gea en Anna.

Gebbe *v* (Fries) Verkorte vorm van
namen met de Germaanse stam
gebhan (geven, gastvrij zijn).

Geert *m* Zie Gerard of Gerald.

Geert-Jan *m* Combinatienaam van

Gerard of Gerald en Johannes.

Geertrui *v* Zie Geertruida.

Geertruida *v* Samenstelling van de
Germaanse stamvormen *gêr* (speer)
en *thrudh* (kracht). Betekenis: "de
krachtige met de speer".

Geffrey *m* Zie Geoffrey.

Gela *v* (Duits) Zie Geertruida.

Gelder *m* (Fries) Samenstelling van
de Germaanse stamvormen *geld*
(waarde, vergelding) en *heri* (leger).
Betekenis: "vergelding door het
leger".

Geldert *m* (Fries) Samenstelling van
de Germaanse stamvormen *geld*
(waarde, vergelding) en *hard* (sterk,
dapper). Betekenis: "vergelding
door de dappere".

Gele *v* (Fries) Verkorte vorm van
namen met de Germaanse stam *gêls*
(vrolijk, lustig).

Geliene *v* Zie Gele.

Gelika *v* Zie Angelica.

Gelle *m* (Fries) Verkorte vorm van
namen met de Germaanse stam *geld*
(waarde, vergelding).

Gellert *m* (Hongaars) Zie Gerhard.

Gelmer *m* (Fries) Samenstelling van
de Germaanse stamvormen *geld*
(waarde, vergelding) en *mâr* (vermaard). Betekenis: "vermaard door
zijn vergelding".

Gemma *v* (Duits) Latijnse naam die
"edelsteen, juweel" betekent. Ook
naam van een ster.

Geneviève *v* (Frans) Zie Genoveva.

Geno *m* Zie Gino.

Genoveva *v* Een vooral in Vlaanderen voorkomende naam van Keltische oorsprong. De betekenis is onzeker. Mogelijk is de naam een samenstelling van de Keltische stamvormen *genos* (geslacht, ras) en *wefa* (vrouw). De betekenis kan dan luiden: "vrouw van edel geslacht".

Genrich *m* (Slavisch) Zie Hendrik.

Geoffrey *m* (Engels) Zie Godfried.

Georg *m* (Duits) Zie George.

George *m* (Engels) Naam afgeleid van het Griekse *geoorgos*, dat "bewerker van de aarde" betekent.

Georges *m* (Frans) Zie George.

Georgette *v* (Frans) Vrouwelijke vorm van George.

Georgia *v* Vrouwelijke vorm van George.

Georgina *v* Vrouwelijke vorm van George.

Gepke *v* (Fries) Zie Gebbe.

Gerald *m* Samenstelling van de Germaanse stamvormen *gêr* (speer) en *haldan* (behoeden) of *wald* (heersen). Betekenis: "behoeder of heerser met de speer". Ook **Gérald** (Frans) gespeld.

Geralda *v* Vrouwelijke vorm van Gerald.

Geraldien *v* Vrouwelijke vorm van Gerald. Ook **Geraldine** (Engels) of **Géraldine** (Frans) gespeld.

Gerard *m* Samenstelling van de Germaanse stamvormen *gêr* (speer) en *hard* (sterk, dapper). Betekenis: "sterk of dapper met de speer".

Gérard *m* (Frans) Zie Gerard.

Gerarda *v* Vrouwelijke vorm van Gerard.

Gerardina *v* Vrouwelijke vorm van Gerard.

Gérardine *v* (Frans) Vrouwelijke vorm van Gerard.

Gerardo *m* (Italiaans, Spaans) Zie Gerard.

Gerben *m* (Fries) Samenstelling van de Germaanse stamvormen *gêr* (speer) en *beran* (beer). De betekenis zou kunnen luiden: "sterk als een beer met de speer".

Gerbert *m* Samenstelling van de Germaanse stamvormen *gêr* (speer) en *berht* (schitterend). Betekenis: "schitterend met de speer".

Gerbo *m* Zie Gerbert.

Gerbrecht *m* (Duits) Samenstelling van de Germaanse stamvormen *gêr* (speer) en *berht* (schitterend). Betekenis: "schitterend met de speer".

Gerco *m* Zie Gerard.

Gerd *m/v* Zie Gerard.

Gerda *v* Zie Gerarda of Geertruida.

Gerdie *v* Zie Gerarda of Geertruida.

Gerdina *v* Vrouwelijke vorm afgeleid van Gerhard.

Geretta *v* Vrouwelijke vorm afgeleid van Gerhard.

Gerfried *m* (Duits) Samenstelling van de Germaanse stamvormen *gêr* (speer) en *frithu* (vrede). Betekenis: "vrede met de speer".

Gerhald *m* (Duits) Samenstelling van de Germaanse stamvormen *gêr* (speer) en *haldan* (behoeden). Betekenis: "behoeder met de speer".

Gerhard *m* Samenstelling van de Germaanse stamvormen *gêr* (speer) en *hard* (sterk, dapper). Betekenis: "sterk of dapper met de speer".

Gerharde *v* Zie Gerhard.

Geri *m* Zie Gerard.

Gerjo *m* Zie Gerco. Of combinatienaam van Gerard en Johannes of Jozef.

Gerko *m* Zie Gerard.

Gerland *m* Samenstelling van de Germaanse stamvormen *gêr* (speer) en *land* (land).

Gerlanda *v* Vrouwelijke vorm van Gerland.

Gerleen *v* Combinatienaam van Gerard en Helena of Magdalena.

Gerlinde *v* (Duits) Samenstelling van de Germaanse stamvormen *gêr* (speer) en *lind* (slang of schild uit lindehout).

Gerlof *m* Samenstelling van de Germaanse stamvormen *gêr* (speer) en *wolf* (wolf). Betekenis: "als een wolf moedig met de speer".

Germ *m* (Fries) Zie Garm.

Germain *m* (Frans) Zie German.

Germaine *v* (Frans) Vrouwelijke vorm afgeleid van German.

German *m* Mogelijk is de naam een samenstelling van de Germaanse stamvormen *gêr* (speer) en *man* (man). De betekenis luidt dan: "de man met de speer". De naam kan echter ook zijn afgeleid van het Latijnse *germanus* en betekent dan "eigen broeder, broederlijk". Vermoedelijk heeft de naam niets te maken met de volksstam der Germanen.

Germar *m* Samenstelling van de Germaanse stamvormen *gêr* (speer) en *mâr* (vermaard). Betekenis: "vermaard met de speer".

Gero *m* Koosnaam afgeleid van namen met de Germaanse stam *gêr* (speer).

Gerold *m* Zie Gerald.

Gerolf *m* Samenstelling van de Germaanse stamvormen *gêr* (speer) en *wolf* (wolf). Betekenis: "als een wolf moedig met de speer".

Gérôme *m* (Frans) Zie Hieronymus.

Geronimo *m* (Italiaans) Zie Hieronymus.

Gerralda *v* Vrouwelijke vorm van Gerald.

Gerran *m* Combinatienaam van Gerard en Johannes.

Gerrelt *m* Zie Gerald.

Gerrie *m/v* Zie Gerard.

Gerrit *m* Zie Gerard.

Gerry *m/v* (Engels) Zie Gerald of Gerard.

Gert *m* (Fries) Zie Gerard.

Gerte *v* (Duits) Zie Geertruida.

Gertia *v* Vrouwelijke vorm afgeleid van Gerhard.

Gertje *v* Vrouwelijke vorm afgeleid van Gerhard.

Gerton *m* (Scandinavisch) Samenstelling van de Germaanse stamvormen *gêr* (speer) en *thorn* (doorn). De betekenis kan zijn: "speer van doornenhout".

Gertrud *v* (Duits) Zie Geertruida.

Gertruda *v* Zie Geertruida.

Gerty *v* (Engels) Zie Geertruida.

Gervaas *m* Vlaamse naam die mogelijk zijn oorsprong vindt in het Griekse *gerousios*, met als betekenis "behorend tot de ouderen" of "hij die oud zal worden". De naam kan ook een samenstelling zijn van het Germaanse *gêr* (speer) en het Keltische *vass* (knecht). De betekenis is dan "lansknecht".

Gervais *m* (Frans) Zie Gervaas.

Gervaise *v* (Frans) Zie Gervaas.

Gerwald *m* Zie Gerald.

Gerwin *m* Samenstelling van de Germaanse stamvormen *gêr* (speer) en *win* (vriend). Betekenis: "vriend met de speer".

Getse *m* (Fries) Verkorte vorm van namen met de Germaanse stam *gêr* (speer).

Geza *m* (Hongaars) Oorspronkelijk was dit een Turkse titel die "overwinnaar" betekent.

Gezina *v* Zie Geertruida.

Ghislain *m* (Frans) Zie Gisela.

Ghislaine *v* (Frans) Zie Gisela.

Ghisleen *v* Zie Gisela.

Giacobbe *m* (Italiaans) Zie Jakob.

Giacomo *m* (Italiaans) Zie Jakob.

Gian *m* (Italiaans) Zie Johannes.

Gianna *v* (Italiaans) Vrouwelijke vorm afgeleid van Johannes.

Gianne *v* Vrouwelijke vorm afgeleid van Johannes.

Gianni *m* (Italiaans) Zie Johannes.

Gib *m* (Fries) Naam die waarschijnlijk verband houdt met de Germaanse stam *gebhan* (geven, gastvrij zijn). Het kan ook gaan om een korte vorm van Gilbert.

Gida *v* Vrouwelijke vorm van Guido.

Gideon *m* Naam die is afgeleid van het Hebreeuwse werkwoord voor "vellen, vernietigen".

Gidio *m* Zie Gideon.

Giede *m* Zie Aegidius.

Giene *v* Zie Regina.

Gigi *v* (Italiaans) Vrouwelijke vorm afgeleid van Luigi. Zie Lodewijk.

Gijs *m* Zie Gijsbert.

Gijsbert *m* Samenstelling van de Germaanse stamvormen *gîsal* (gijzelaar, kind van edele afkomst) of *gîsil* (kleine speer, pijl) en *berht* (schitterend). Betekenis: "afkomstig van een voornaam geslacht" of "schitterende speer".

Gijsbrecht *m* Zie Gijsbert.

Gijsje *m/v* Zie Gijsbert.

Gil *m/v* Zie Aegidius.

Gil *m* (Spaans) Zie Aegidius.

Gila *v* (Duits) Zie Gisela.

Gilbert *m* (Frans) Samenstelling van de Germaanse stamvormen *gîsal* (gijselaar, kind van edele afkomst) of *gîsil* (kleine speer, pijl) en *berht* (schitterend).

Gilberte *v* (Frans) Vrouwelijke vorm van Gilbert.

Gilda *v* (Italiaans) Vrouwelijke vorm afgeleid van Aegidius.

Giliam *m* Zie Wilhelm.

Gilian *m* (Schots) Zie Julius.

Gilla *v* (Scandinavisch) Zie Gisela.

Gilles *m* (Frans) Zie Aegidius.

Gillis *m* Zie Aegidius.

Gina *v* (Italiaans) Zie Regina, Georgina of Genoveva.

Ginebra *v* (Spaans) Zie Guinevere.

Ginette *v* (Frans) Zie Genoveva.

Ginevra *v* (Italiaans) Zie Guinevere.

Gino *m* (Italiaans) Naam afgeleid van Luigi. Zie Lodewijk.

Gioachino *m* (Italiaans) Zie Joachim.

Giona *m* (Italiaans) Zie Jona.

Giorgio *m* (Italiaans) Zie George.

Giovanna *v* (Italiaans) Vrouwelijke vorm afgeleid van Johannes.

Giovanni *m* (Italiaans) Zie Johannes.

Giraldo *m* (Italiaans) Zie Gerald.

Gisa *v* (Duits) Zie Gisela.

Gisela *v* (Duits) Koosnaam afgeleid van namen met de Germaanse stam *gîsil* (kleine speer, pijl) of *gîsal* (gijzelaar, kind van edele afkomst). De betekenis zou kunnen zijn: "gegijzelde edelvrouwe".

Gisèle *v* (Frans) Zie Gisela.

Gisella *v* Zie Gisela.

Giselle *v* (Engels) Zie Gisela.

Gislind *v* (Duits) Samenstelling van de Germaanse stamvormen *gîsal* (gijzelaar, kind van edele afkomst) of *gîsil* (kleine speer, pijl) en *lind* (slang of schild van lindehout).

Gismonda *v* (Italiaans) Vrouwelijke vorm afgeleid van Siegmund.

Gismondo *m* (Italiaans) Zie Siegmund.

Githa *v* Zie Gitta.

Gitta *v* Zie Birgitta of Brigitta.

Giuglio *m* (Italiaans) Zie Julius.

Giulia *v* (Italiaans) Vrouwelijke vorm afgeleid van Julius.

Giuliano *m* (Italiaans) Zie Julius.

Giulietta *v* (Italiaans) Vrouwelijke vorm afgeleid van Julius.

Giuseppe *m* (Italiaans) Zie Jozef.

Gladys *v* (Engels) Vrouwelijke vorm afgeleid van Claudius.

Glenn *m/v* (Engels) Oorspronkelijk een familienaam met als betekenis "hij die in een dal woont", van het Welse *glyn* (dal, vallei).

Glijn *m* Zie Gisela.

Gloria *v* Latijnse naam die betekent "roem, sieraad".

Goan *m* (Indisch) Naam die betekent "afkomstig uit de streek Goa".

Godelief *v* Vrouwelijke vorm van Godlef. Ook **Godelieve** gespeld.

Godelinde *v* (Duits) Samenstelling van de Germaanse stamvormen *god* (god) en *lind* (schild van lindehout). Betekenis: "strijdster (voor God) met het schild".

Godert *m* Zie Godhard.

Godfried *m* Samenstelling van de Germaanse stamvormen *god* (god) en *frithu* (vrede). Betekenis: "godsvrede" of "hij die onder de vrede (bescherming) van God leeft".

Godhard *m* Samenstelling van de Germaanse stamvormen *god* (god) en *hard* (sterk, dapper). Betekenis: "zo dapper als een god" of "zeer dapper".

Godiva *v* Gelatiniseerde vorm van de Oudengelse naam Godgiefu, die is samengesteld uit de Germaanse stamvormen *god* (god) en *gifu* (gift). Betekenis: "godsgeschenk".

Godlef *m* Samenstelling van de Germaanse stamvormen *god* (god) en *liub* (liefde). Betekenis: "door God geliefd".

Goede *m* Vlaamse naam die een

verkorte vorm is van namen met *God* of *goed*. Betekenis: "de goede".

Goedele *v* Zie Goede.

Goesje *v* (Fries) Verkleinvorm van een verkorte vorm van namen met de stam *God* of *goed*.

Goesta *m* (Scandinavisch) Zie Gustaaf.

Goffredo *m* (Italiaans) Zie Godfried.

Golda *v* Naam afgeleid van het Germaanse *gold* (goud).

Gomar *m* Samenstelling van de Germaanse stamvormen *god* (god) en *mâr* (vermaard). Betekenis: "door God vermaard". De gelatiniseerde vorm is **Gomarus**.

Gonda *v* Verkorte vorm van namen met de Germaanse stam *gund* (strijd).

Gonnie *v* Zie Gonda.

Goof *m* Zie Govert.

Goos *m* (Fries) Zie Gozewijn.

Göpf *m* (Zwitsers) Zie Godfried.

Gordon *m* (Engels) Oorspronkelijk een Schotse familienaam naar een plaatsnaam. Betekent mogelijk "grote heuvel".

Goris *m* Zie Gregorius.

Gosse *m* (Fries) Koosnaam afgeleid van namen met de Germaanse stam *gaut* (behorend tot het volk der Goten).

Gotmer *m* (Duits) Samenstelling van de Germaanse stamvormen *god*

(god) en *mâr* (vermaard). Betekenis: "door God vermaard".

Gottfried *m* (Duits) Zie Godfried.

Govert *m* Zie Godfried.

Gozewijn *m* Samenstelling van de Germaanse stamvormen *gaut* (behorend tot het volk der Goten) en *win* (vriend). Betekenis: "vriend van de Goten".

Grace *v* (Engels) Zie Gratia.

Gracia *v* (Spaans) Zie Gratia.

Graham *m* (Engels) Oorspronkelijk een Schotse familienaam die is afgeleid van een plaatsnaam.

Gratia *v* Latijnse naam die "bevalligheid, bekoorlijkheid" betekent. Vergelijk met de drie gratiën.

Gratienne *v* Zie Gratia.

Greet *v* Zie Margaretha.

Greg *m* (Engels) Zie Gregorius.

Gregoor *m* Zie Gregorius.

Gregor *m* (Duits, Engels) Zie Gregorius.

Gregoria *v* Vrouwelijke vorm van Gregorius.

Grégoire *m* (Frans) Zie Gregorius. Ook **Grégory** gespeld.

Gregorio *m* (Italiaans, Spaans) Zie Gregorius.

Gregorius *m* Naam afgeleid van het Griekse *grègorios*, met als betekenis "de waakzame".

Gregory *m* (Engels) Zie Gregorius.

Greta *v* Zie Margaretha.

Gretchen *v* (Duits) Zie Margaretha.

Gretel *v* (Duits) Zie Margaretha.

Griet *v* Zie Margaretha.

Griffin *m* (Engels) Oorspronkelijk een familienaam, mogelijk afgeleid van de Welse naam Gruffydd, met als betekenis "sterke strijder of heer".

Grigorij *m* (Slavisch) Zie Gregorius.

Grischa *m* (Slavisch) Zie Gregorius.

Griselda *v* (Engels) Samenstelling van de Germaanse stamvormen *grîs* (grijs) en *hild* (strijd). Betekenis: "strijdster met de grijze haren".

Gritt *v* (Duits) Zie Margaretha.

Gritta *v* (Duits) Zie Margaretha.

Gualtieri *m* (Italiaans) Zie Walter.

Gualtiero *m* (Italiaans) Zie Walter.

Guarniero *m* (Italiaans) Zie Werner.

Gudrun *v* Samenstelling van de Germaanse stamvormen *gund* (strijd) en *rûna* (geheime wijsheid). Betekenis: "zij die de geheimen van de strijd kent". Oorspronkelijk was dit een walkurennaam.

Guernard *m* (Italiaans) Zie Werner.

Guglielmina *v* (Italiaans) Vrouwelijke vorm afgeleid van Wilhelm.

Guglielmo *m* (Italiaans) Zie Wilhelm.

Guido *m* (Frans) Verfransing van de Germaanse koosnaam Wido, van het Germaanse *widu* (woud, bos).

Guillaume *m* (Frans) Zie Wilhelm.

Guillerma *v* (Spaans) Vrouwelijke vorm afgeleid van Wilhelm.

Guillermo *m* (Spaans) Zie Wilhelm.

Guinevere *v* (Engels) Samenstelling van het Welse *gwen* (blank, wit) en *hwyfar* (zacht, vruchtbaar). Guinevere is de naam van de vrouw van koning Arthur uit de middeleeuwse Keltische ridderromans.

Gunda *v* (Duits) Zie Gudrun.

Gundar *m* Zie Gunther.

Gunder *m* (Scandinavisch) Zie Gunther.

Gundolf *m* (Duits) Samenstelling van de Germaanse stamvormen *gund* (strijd) en *wolf* (wolf).

Gunnar *m* (Scandinavisch) Zie Gunther.

Günter *m* (Duits) Zie Gunther.

Gunther *m* (Duits) Ook **Günther** gespeld. Samenstelling van de Germaanse stamvormen *gund* (strijd) en *heri* (leger). Betekenis: "strijdleger".

Gust *m* Zie Gustaaf.

Gusta *v* (Scandinavisch) Vrouwelijke vorm afgeleid van Augustus of Gustaaf.

Gustaaf *m* De naam kan zijn samengesteld uit de Germaanse stamvormen *gaut* (behorend tot het volk der Goten) of *gund* (strijd) en *staf* (stok, steun). Hij kan echter ook een variant zijn van de Oudslavische naam **Gostislaw**, met als betekenis "beroemde gast".

Gustave *m* (Frans) Zie Gustaaf.

Gustavo *m* (Spaans) Zie Gustaaf.

Guus *m* Zie Gustaaf.

Guust *m* Zie Gustaaf.

Guy *m* (Frans) Zie Guido.

Gwen *v* (Engels) Verkorte vorm van namen met de Keltische stam *gwyn* (blank, wit).

Gwenael *m* (Keltisch) Naam van een Bretonse held.

Gwendolyn *v* (Engels) Samenstelling van de Keltische stamvormen *gwyn* (blank, wit) en *dolen* (kring, boog of maan). Betekenis: "witte kring". Gwendolyn was de bijnaam van een maangodin. In de Arthurromans was het de naam van een fee die verliefd werd op koning Arthur.

György *m* (Hongaars) Zie George.

Gys *m* Zie Gijsbert.

Gysella *v* Zie Gisela.

Gyula *m* (Hongaars) Zie Julius.

Haakon *m* (Scandinavisch) De naam is waarschijnlijk samengesteld uit de Germaanse stamvormen *hadu* (strijd) en *konr* (man) en betekent dan "strijder".

Hadde *m* (Fries) Zie Hade.

Hade *m* (Fries) Verkorte vorm van namen met de Germaanse stam *hadu* (strijd).

Hademar *m* Samenstelling van de Germaanse stamvormen *hadu* (strijd) en *mâr* (vermaard). Betekenis: "vermaard door strijd".

Hadewich *v* Zie Hadewig.

Hadewig *v* Samenstelling van de Germaanse stamvormen *hadu* (strijd) en *wíg* (strijd). Een dubbele strijd dus. De tweede stam zou ook *wîf* (vrouw) kunnen zijn, en dan luidt de betekenis "strijdster".

Hadia *v* (Arabisch) Waarschijnlijk afgeleid van de eretitel *had(z)ji* (Mekkaganger).

Hadwig *v* (Duits) Zie Hadewig.

Hagar *v* (Arabisch) De naam betekent "vreemde, vluchtelinge".

Haico *m* (Fries) Zie Haje.

Haje *m* (Fries) Verkorte vorm van namen met de Germaanse stam *haga* (omheinde ruimte). Ook **Haie**.

Hajo *m* (Fries) Zie Haje.

Hakan *m* (Scandinavisch) Zie Haakon.

Hakim *m* (Arabisch) De naam betekent "heerser".

Hakon *m* (Scandinavisch) Zie Haakon.

Halbe *m* Verkorte vorm van namen samengesteld uit de Germaanse stamvormen *halith* (held) en *berht* (schitterend), zoals **Halbert**. Betekenis: "schitterende held".

Halina *v* Zie Halle.

Halle *m/v* Verkorte vorm van namen met de Germaanse stam *halith* (held).

Hamid *m* (Arabisch) Naam die waarschijnlijk is afgeleid van het Arabische *ham* (warm, heet).

Hamlet *m* (Engels) Verkleinvorm van een naam met de Germaanse stam *haima*, dat "heem, woning, woonplaats" betekent. Hamlet is de held uit een van Shakespeares drama's.

Hamme *m* (Fries) Verkorte vorm van namen samengesteld uit de Germaanse stamvormen *hadu* (strijd) en *mâr* (vermaard). Betekenis: "vermaard door strijd". De naam kan ook een verkorte vorm zijn van Herman.

Hammy *m* (Fries) Zie Hamme.

Han *m* Zie Johannes.

Hanja *v* (Duits) Vrouwelijke vorm afgeleid van Johannes.

Hanka *v* (Slavisch) Vrouwelijke vorm afgeleid van Johannes.

Hanke *v* (Fries) Vrouwelijke vorm afgeleid van Johannes.

Hanko *m* (Duits) Zie Johannes.

Hanna *v* Vrouwelijke vorm afgeleid van Johannes.

Hannalore *v* (Duits) Combinatienaam van Hanne en Eleonora.

Hanne *m/v* (Fries) Zie Johannes.

Hanneke *v* Vrouwelijke vorm afgeleid van Johannes.

Hannele *v* (Duits) Vrouwelijke vorm afgeleid van Johannes.

Hannelore *v* Combinatienaam van Hanne en Eleonora.

Hannes *m* Zie Johannes.

Hanno *m* Zie Johannes.

Hans *m* Zie Johannes.

Hänsel *m* (Duits) Zie Johannes.

Hansi *v* (Duits) Vrouwelijke vorm afgeleid van Johannes.

Hanso *m* Zie Johannes.

Happy *v* (Engels) Betekent letterlijk "gelukkig".

Harald *m* (Scandinavisch) Samenstelling van de Germaanse stamvormen *heri* (leger) en *wald* (heersen). Betekenis: "heerser over het leger" of "aanvoerder".

Hardi *m* Verkorte vorm van namen met de Germaanse stam *hard* (sterk, dapper).

Hardwin *m* (Engels) Samenstelling van de Germaanse stamvormen *hard* (sterk, dapper) en *win* (vriend). Betekenis: "sterke of dappere vriend". In het Nederlands kent men de naam **Hardewijn**.

Hare *m* Verkorte vorm van namen met de Germaanse stam *heri* (leger).

Hariet *v* (Engels) Vrouwelijke vorm afgeleid van Hendrik.

Hariette *v* Vrouwelijke vorm afgeleid van Hendrik.

Harja *v* Vrouwelijke vorm afgeleid van Adriaan of Hariet.

Harko *m* Zie Hare.

Harld *m* Zie Harald.

Harlette *v* Zie Arlette.

Harley *m* (Engels) Oorspronkelijk een plaatsnaam en een familienaam, samengesteld uit de Germaanse stamvormen *haru* (haas) en *leah* (bosweide, open plek).

Harmen *m* (Fries) Zie Herman.

Harmke *v* (Fries) Vrouwelijke vorm afgeleid van Herman.

Harnold *m* Zie Arnold. Of mogelijk een combinatienaam van Hare en Arnold.

Harold *m* (Engels) Zie Harald.

Haron *v* Vrouwelijke vorm afgeleid van Hare.

Haron *m* (Arabisch) Zie Aaron.

Harris *m* (Engels) Zie Hendrik.

Harro *m* Zie Hare.

Harry *m* (Engels) Zie Hendrik.

Hart *m* (Fries) Verkorte vorm van namen met de Germaanse stam *hard* (hard, sterk, dapper) of *heri* (leger).

Harte *v* (Fries) Vrouwelijke vorm van Hart.

Harvey *m* (Engels) Zie Hervé.

Harwin *m* (Engels) Zie Hardwin.

Hassan *m* (Arabisch) Naam die verwant is met het Hebreeuwse *hazzan* (voorzinger, opzichter).

Hayo *m* (Fries) Zie Haje.

Hazel *v* (Engels) De naam betekent letterlijk "hazelaar". De hazelaar was in de Keltische mythologie een heilige boom.

Hector *m* (Frans) Zie Hektor.

Hedda *v* (Duits) Zie Hadewig.

Hedvig *v* (Scandinavisch) Zie Hadewig.

Hedwich *v* (Duits) Zie Hadewig.

Hedwig *v* (Duits) Zie Hadewig.

Hedwina *v* (Duits) Samenstelling van de Germaanse stamvormen *hadu* (strijd) en *win* (vriend).

Hedy *v* (Duits) Zie Hadewig.

Hedzer *m* (Fries) Naam die waarschijnlijk is samengesteld uit de Germaanse stamvormen *hadu* (strijd) en *gêr* (speer). Ook **Hedser** gespeld.

Heidi *v* (Zwitsers, Duits) Zie Adelheid.

Heidrun *v* (Duits) Combinatienaam van Heidi en Sigrun of Gudrun.

Heike *v* (Duits) Vrouwelijke vorm afgeleid van Haje.

Heiko *m* (Duits) Zie Haje.

Heimo *m* Zie Hendrik.

Hein *m* Zie Hendrik.

Heini *m* (Duits) Zie Hendrik.

Heino *m* (Duits) Zie Hendrik.

Heinrich *m* (Duits) Zie Hendrik.

Heinz *m* (Duits) Zie Hendrik.

Heinze *m* (Duits, Fries) Zie Hendrik.

Hektor *m* Naam afgeleid van het Griekse *hectoor*, met als betekenis "hij die vasthoudt, overwint". Ook **Hector** gespeld.

Helen *v* (Engels) Zie Helena.

Helena *v* Een van oorsprong Griekse naam met als betekenis "fakkel" of "de stralende, de schitterende". De naam is verwant met het Griekse *hêlios* (zon) en *selènè* (maan). In de Griekse mythologie was Helena de mooiste vrouw ter wereld. Doordat Paris haar schaakte, ontstond de oorlog tegen Troje.

Hélène *v* (Frans) Zie Helena.

Helga *v* (Scandinavisch) Naam afgeleid van de Germaanse stam *hail* (heil, gezond, gelukkig). Het woord is verwant met "heilig".

Helina *v* Zie Helena.

Helke *v* Zie Helle.

Hella *v* Zie Helle, Helga of Helena.

Helle *m* Verkorte vorm van namen met de Germaanse stam *hail* (heil, gezond, gelukkig) of *hild* (strijd).

Helleen *v* Zie Helena.

Hellen *v* Zie Helena.

Helma *v* Vrouwelijke vorm afgeleid van Helmer of Wilhelm.

Helmer *m* Samenstelling van de Germaanse stamvormen *helm* (helm, bescherming), *hild* (strijd) of *hail* (heil, gezond) en *mâr* (vermaard).

Helmert *m* Samenstelling van de Germaanse stamvormen *helm* (helm, bescherming), *hild* (strijd) of *hail* (heil, gezond) en *hard* (hard, sterk, dapper).

Helmi *v* Vrouwelijke vorm afgeleid van Wilhelm.

Helmrich *m* (Duits) Samenstelling van de Germaanse stamvormen *helm* (helm, bescherming) en *rîk* (rijk, machtig). Betekenis: "machtige beschermer".

Helmut *m* (Duits) Waarschijnlijk een samenstelling van de Germaanse stamvormen *helm* (helm, bescherming) en *muot* (moed).

Hendrietta *v* Vrouwelijke vorm afgeleid van Hendrik.

Hendrik *m* Samenstelling van de Germaanse stamvormen *haima* (heem, woning, woonplaats) en *rîk* (rijk, machtig). Mogelijke betekenissen zijn: "de machtige van de woonplaats" of "van hoge afkomst". De naam is heel verspreid en kent tal van varianten, zowel voor jongens als voor meisjes.

Hendrika *v* Vrouwelijke vorm van Hendrik.

Henjo *m* Zie Hendrik.

Henk *m* Zie Hendrik.

Henno *m* Zie Hendrik.

Henny *m* Zie Hendrik.

Henri *m* (Frans) Zie Hendrik.

Henrietta *v* Vrouwelijke vorm afgeleid van Hendrik.

Henriette *v* (Frans) Vrouwelijke vorm afgeleid van Hendrik.

Henrik *m* (Scandinavisch) Zie Hendrik.

Henry *m* (Engels) Zie Hendrik.

Henryk *m* (Slavisch) Zie Hendrik.

Hens *v* Vrouwelijke vorm afgeleid van Johannes.

Hent *m* Zie Hendrik.

Herald *m* Zie Harald.

Herbert *m* Samenstelling van de Germaanse stamvormen *heri* (leger) en *berht* (schitterend). Betekenis: "schitterend in het leger".

Herlinde *v* (Duits) Samenstelling van de Germaanse stamvormen *heri* (leger) en *lind* (schild van lindehout).

Herm *m* Zie Herman.

Herma *v* (Duits) Vrouwelijke vorm van Herman.

Herman *m* Samenstelling van de Germaanse stamvormen *heri* (leger) en *man* (man, held). De betekenis is dus: "strijder" of "held van het leger".

Hermann *m* (Duits) Zie Herman.

Hermelindis *v* Samenstelling van de Germaanse stamvormen *irmin* (groot, geweldig) en *lind* (slang, schild van lindehout).

Hermen *m* (Fries) Zie Herman.

Hermien *v* Vrouwelijke vorm van
Herman. Ook **Hermine** (Frans)
gespeld.
Hermina *v* (Duits) Vrouwelijke
vorm van Herman.
Hero *m* Zie Hare.
Herold *m* (Engels) Zie Harald.
Herrik *m* Zie Hendrik.
Herta *v* (Duits) Mogelijk een verkorte vorm van een naam met de
Germaanse stam *hard* (hard, sterk,
dapper). Hij kan ook berusten op
een foutieve lezing van de naam
Nerthus in een werk van de Latijnse
historicus Tacitus. Nerthus is een
vruchtbaarheidsgodin.
Hertine *v* (Duits) Zie Herta.
Hervé *m* (Frans) Naam afgeleid van
de Bretonse naam Haerveu, die is
samengesteld uit de Keltische stamvormen *aer* (bloedbad, slachting) en
uiu (waardig).
Herwig *m* (Duits) Samenstelling
van de Germaanse stamvormen *heri*
(leger) en *wîg* (strijd). Betekenis:
"strijdleger".
Herwiga *v* (Duits) Vrouwelijke
vorm van Herwig.
Herwin *m* (Duits) Samenstelling
van de Germaanse stamvormen *heri*
(leger) en *win* (vriend). Betekenis:
"vriend van het leger".
Hessel *m* Zie Hendrik.
Hester *v* (Fries) Vrouwelijke vorm
afgeleid van Hedzer.

Hette *m* (Fries) Zie Hade.
Hetty *v* Vrouwelijke vorm afgeleid
van Hendrik of Hade.
Hidda *v* (Duits) Zie Hildegard.
Hieronymus *m* Afgeleid van het
Griekse *hieros* (heilig) en *onoma*
(naam), dus: "met een heilige naam".
Hilaire *m* (Frans) Zie Hilarius.
Hilany *v* (Engels) Variant van Hila-
ry.
Hilarius *m* De naam is afgeleid van
het Latijnse *hilaris*, dat "vrolijk,
opgeruimd" betekent. Vergelijk het
Nederlandse woord "hilariteit".
Hilary *v* (Engels) Vrouwelijke vorm
afgeleid van Hilarius.
Hilbert *m* Samenstelling van de
Germaanse stamvormen *hild* (strijd)
en *berht* (schitterend). Betekenis:
"schitterend in de strijd". De naam
Hildebert heeft dezelfde betekenis.
Hilco *m* Koosnaam afgeleid van
namen met de Germaanse stam *hild*
(strijd).
Hild *m* Verkorte vorm van namen
met de Germaanse stam *hild* (strijd).
Hilda *v* Vrouwelijke vorm van Hild.
Hilde *v* Vrouwelijke vorm van Hild.
Hildegard *v* Samenstelling van de
Germaanse stamvormen *hild* (strijd)
en *gard* (omsloten ruimte).
Hildegonda *v* Samenstelling van de
Germaanse stamvormen *hild* (strijd)
en *gund* (strijd).
Hildemar *m* (Duits) Samenstelling

van de Germaanse stamvormen *hild* (strijd) en *mâr* (vermaard). Betekenis: "vermaard in de strijd".

Hildert *m* (Fries) Samenstelling van de Germaanse stamvormen *hild* (strijd) en *hard* (sterk, dapper). Betekenis: "sterk of dapper in de strijd".

Hilla *v* (Duits) Zie Hildegard.

Hilmar *m* (Duits) Zie Hildemar.

Hinka *v* (Fries) Vrouwelijke vorm afgeleid van Hendrik.

Hinke *m/v* (Fries) Zie Hendrik.

Hinno *m* Zie Hendrik.

Hinse *m* (Fries) Zie Hendrik.

Hippoliet *m* Zie Hippolytus.

Hippolyte *m* (Frans) In de Griekse sage was dit de naam van een amazonekoningin, de dochter van Ares.

Hippolytus *m* Naam die is samengesteld uit het Griekse *hippos* (paard) en *luein* (losmaken, uitspannen). Hippolytus is in de Griekse mythologie de zoon van Theseus en Hippolyte of Antiope.

Hiska *v* (Fries) Vrouwelijke vorm van Hisse.

Hiskia *v* Hebreeuwse naam met als betekenis "Jahweh is mijn kracht". De naam kan ook worden gezien als een variant op Hiska.

Hisse *m* (Fries) Verkorte vorm van namen met de Germaanse stam *hild* (strijd).

Holger *m* (Scandinavisch) Samen-

stelling van de Germaanse stamvormen *huld* (trouw) en *gêr* (speer).

Holly *v* (Engels) Betekent letterlijk "hulst". De naam wordt vooral gegeven aan meisjes die rond Kerstmis geboren worden.

Holm *m* Verkorte vorm van namen met de Germaanse stam *holm* (heuvel, eilandje).

Honor *m* Latijnse naam met als betekenis "eer, eerbied".

Honora *v* Vrouwelijke vorm van Honor.

Honoré *m* (Frans) Zie Honor.

Honorine *v* (Frans) Vrouwelijke vorm afgeleid van Honor.

Horace *m* Zie Horatio.

Horatio *m* (Engels) Variant van de Romeinse naam Horatius. De betekenis is onzeker. Er zou een verband kunnen zijn met het Griekse *horos* (beschermgeest van de grens), het Latijnse *hora* (uur, tijd) of het Etruskische *hurath* (de doder).

Hortense *v* (Frans) Vrouwelijke vorm van Hortensius.

Hortensia *v* Vrouwelijke vorm van Hortensius.

Hortensius *m* Naam van een Romeins geslacht. De naam is afgeleid van het Latijnse *hortus*, dat "tuin" betekent.

Howard *m* (Engels) Oorspronkelijk een familienaam, samengesteld uit de Germaanse stamvormen *hauha* (hoogte, heuvel) of *hug* (verstand, geest) en *wardan* (beschermen).

Hubert *m* (Engels, Frans) Zie Hubrecht.

Huberta *v* Vrouwelijke vorm van Hubrecht.

Huberte *v* (Frans) Vrouwelijke vorm van Hubert.

Hubrecht *m* Samenstelling van de Germaanse stamvormen *hug* (verstand, geest) en *berht* (schitterend). Betekenis: "schitterend door zijn verstand". **Hubertus** is de gelatiniseerde vorm van deze naam.

Hugh *m* (Engels) Zie Hugo.

Hugo *m* Naam afgeleid van de Germaanse stam *hug* (verstand, geest).

Hugues *m* (Frans) Zie Hugo.

Huguette *v* (Frans) Vrouwelijke vorm van Hugues.

Humbert *m* (Duits) Samenstelling van de Germaanse stamvormen *hun* en *berht* (schitterend). Het Germaanse *hun* kan verschillende betekenissen hebben: "donker van uiterlijk", "berenjong" of "van de stam der Hunnen".

Humfried *m* Samenstelling van de Germaanse stamvormen *hun* en *frithu* (vrede). Het Germaanse *hun* kan verschillende betekenissen hebben: "donker van uiterlijk", "berenjong" of "van de stam der Hunnen".

Humphrey *m* (Engels) Zie Humfried.

Humphry *m* (Engels) Zie Humfried.

Huub *m* Zie Hubrecht.

Hyacinta *v* Vrouwelijke vorm van Hyacinthus.

Hyacinthe *v* (Frans) Vrouwelijke vorm van Hyacinthus.

Hyacinthus *m* Naam afgeleid van het Griekse *hyacinthos*, de naam van een bloem en van een edelsteen. In de Griekse mythologie was Hyacinthus een jeugdige vriend van Apollo, die ongelukkigerwijs door hem gedood werd. Uit zijn bloed ontsproot de hyacint, die het symbool is van de voorzichtigheid.

Ian *m* (Schots) Zie Johannes.

Ianne *v* Vrouwelijke vorm afgeleid van Johannes.

Ibe *m* (Fries) De betekenis van deze naam is onzeker. Het is waarschijnlijk een bakernaam, d.w.z. een naam die in de kindermond is ontstaan en later een officiële naam werd.

Ibrahim *m* (Arabisch) Zie Abraham.

Ichelle *v* Vrouwelijke vorm afgeleid van Ige.

Ida *v* Zie Alida.

Idalie *v* Zie Ida.

Ide *m* (Fries) De betekenis van deze naam is onzeker. Het is waarschijnlijk een bakernaam (zie Ibe). De naam kan ook een verkorte vorm zijn van namen met de Germaanse stam *id* (werkzaamheid).

Ides *v* Zie Ida.

Ido *m* Zie Ide.

Ieme *v* (Fries) Zie Ime.

Ige *m* (Fries) De betekenis van deze naam is onzeker. Het is waarschijnlijk een bakernaam (zie Ibe). De naam kan ook een verkorte vorm zijn van namen met de Germaanse stam *age* (zwaard).

Ignaas *m* Zie Ignatius.

Ignace *m* (Frans) Zie Ignatius.

Ignatius *m* De betekenis is onzeker. De naam kan verband houden met het Latijnse *ignis* (vuur) of *igneus* (vurig, gloeiend).

Igo *m* Zie Ige.

Igor *m* (Slavisch) Zie Ingwar of Gregorius.

Ika *m* (Slavisch) Zie Igor.

Ike *m* (Engels) Zie Isaac.

Ilana *v* Zie Ilona.

Ile *m* (Fries) De betekenis van deze naam is onzeker. Het is waarschijnlijk een bakernaam (zie Ibe).

Ileana *v* (Roemeens) Zie Helena.

Ileen *v* Zie Aileen.

Ilian *m* (Scandinavisch) Zie Aegidius.

Iliana *v* Zie Juliana.

Ilja *v* (Slavisch, Fries) Vrouwelijke vorm afgeleid van Elia of Ile.

Ilka *v* (Hongaars) Zie Helena.

Ilko *m* Zie Ile.

Ilona *v* (Hongaars) Zie Helena.

Ilonka *v* (Hongaars) Zie Helena.

Ilsa *v* (Duits) Zie Elisabeth.

Ilse *v* (Duits) Zie Elisabeth.

Ilu *v* (Hongaars) Zie Helena.

Iluska *v* (Hongaars) Zie Helena.

Ilva *v* (Engels) Zie Elvira.

Ilya *m* (Slavisch) Zie Elia of Ile.

Ima *v* Zie Ime of Emma.

Imara *v* Zie Irma of Imre.

Imca *v* Zie Ime.

Ime *m/v* (Fries) Verkorte vorm van namen met de Germaanse stam *irmin* (groot, geweldig).

Imelda *v* (Italiaans) Zie Irmhild.

Imke *v* (Fries) Zie Ime.

Imko *m* (Fries) Zie Ime.

Imma *v* Zie Emma.

Immanuel *m* Hebreeuwse naam die "God zij met ons" betekent. Ook vaak **Emmanuel** (Frans) gespeld.

Immanuelle *v* Vrouwelijke vorm van Immanuel. Meestal **Emmanuelle** (Frans) gespeld.

Imme *v* Zie Ime.

Imre *m/v* (Hongaars) Zie Emmerik.

Imro *m* Zie Ime of Imre.

Ina *v* Meestal een verkorte vorm van meisjesnamen die op -ina eindigen.

Indira *v* (Indisch) Zie Indra.

Indra *m/v* (Indisch) In de Indische mythologie was Indra de heerser van het rijk der goden, god van de regen, de donder en de bliksem.

Ine *v* Meestal een verkorte vorm van meisjesnamen die op -ine eindigen.

Ineke *v* Zie Ina of Ine.

Ines *v* Zie Agnes.

Inés *v* (Spaans) Zie Agnes.

Inez *v* (Spaans) Zie Agnes.

Inga *v* (Scandinavisch) Verkorte vorm van namen die beginnen met *Ing*, wat samenhangt met de naam van de Germaanse stamgod der Ingweonen.

Inge *v* (Scandinavisch) Zie Inga.

Ingeborg *v* (Scandinavisch) Een van oorsprong Germaanse naam, samengesteld uit *Ing* (van de naam van de Germaanse stamgod der Ingweonen) en *burg* (burg, bescherming).

Ingel *m* Zie Angel.

Ingemar *m* (Scandinavisch) Zie Ingmar.

Inger *v* (Scandinavisch) Germaanse naam die is samengesteld uit *Ing* (van de naam van de Germaanse stamgod der Ingweonen) en *gard* (omheinde ruimte).

Ingerid *v* (Scandinavisch) Zie Ingrid.

Ingjeborg *v* (Scandinavisch) Zie Ingeborg.

Ingmar *m* (Scandinavisch) Germaanse naam die is samengesteld uit *Ing* (van de naam van de Germaanse stamgod der Ingweonen) en *mâr* (vermaard).

Ingo *m* (Duits) Zie Ingmar of Ingwer.

Ingrid *v* (Scandinavisch) Germaanse naam die is samengesteld uit *Ing* (van de naam van de Germaanse stamgod der Ingweonen) en *rîdan* (rijden). In de Germaanse mythologie was Ingrid een van de walkuren.

Ingvar *m* (Scandinavisch) Zie Ingwar.

Ingwar *m* (Duits) Germaanse naam die is samengesteld uit *Ing* (van de naam van de Germaanse stamgod der Ingweonen) en *warin* (beschermen, behoeden).

Ingwer *m* (Scandinavisch) Zie Ingwar.

Inka *v* (Hongaars) Zie Helena.

Inke *v* Zie Ine.

Innocentius *m* Latijnse naam met als betekenis "onschuldig, recht-schapen".

Iona *v* Vrouwelijke vorm afgeleid van Jona.

Irena *v* (Slavisch) Zie Irene.

Irene *v* Ook **Irène** of **Irénée** (Frans) gespeld. Naam die is afgeleid van het Griekse *eirènè*, dat "vrede" bete-kent. In de Griekse mythologie is Irene de godin van de vrede.

Ires *v* Zie Iris.

Irina *v* (Slavisch) Zie Irene.

Iris *v* Naam van Griekse oorsprong met als betekenis "regenboog". In de Griekse mythologie is Iris de godin van de regenboog en de bode van de goden. Iris is ook de naam van een bloem.

Irka *v* (Slavisch) Zie Irene.

Irma *v* Zie Irmgard.

Irmgard *v* (Duits) Samenstelling van de Germaanse stamvormen *irmin* (groot, geweldig) en *gard* (omheinde ruimte).

Irmhild *v* (Duits) Samenstelling van de Germaanse stamvormen *irmin* (groot, geweldig) en *hild* (strijd). Betekenis: "groot in de strijd".

Irminbert *m* (Duits) Samenstelling van de Germaanse stamvormen *irmin* (groot, geweldig) en *berht* (schitterend).

Irving *m* (Schots) Oorspronkelijk een plaatsnaam en later ook een familienaam. De naam is afgeleid van een Keltische riviernaam en betekent "groen water".

Isa *v* (Duits) Zie Isolde.

Isaac *m* Hebreeuwse naam die "hij (God) moge lachen" betekent. Isaac was de zoon van Abraham en Sara en een van de aartsvaders. Ook **Izaäk** gespeld.

Isabeau *v* (Frans) Zie Elisabeth.

Isabel *v* (Spaans, Portugees) Zie Eli-sabeth.

Isabella *v* (Italiaans, Spaans) Zie Elisabeth.

Isabelle *v* (Frans) Zie Elisabeth.

Ischa *m* Zie Isaac of Jeshaja.

Iselda *v* Zie Isolde.

Isidoor *m* Vernederlandsing van de Griekse naam Isidoros, die is samengesteld uit *Isis* en *doron* (geschenk). Isis was de Egyptische godin van de vruchtbaarheid. De naam betekent dus: "geschenk van Isis".

Isidora *v* Vrouwelijke vorm van Isidoor.

Isidore *m* (Frans) Zie Isidoor.

Iskander *m* (Arabisch) Zie Alexan-der.

Ismay *v* (Engels) Waarschijnlijk een verengelste vorm van de Hebreeuw-se naam **Ismaël**, die "God hoort" betekent. De naam kan ook een variant zijn van **Esmee**. Zie aldaar. Hij kan ook een samenstelling zijn van de Germaanse stamvormen *îs* (ijs) en *mâg* (bloedverwant).

Isolda *v* Zie Isolde.

Isolde *v* (Keltisch) De naam houdt mogelijk verband met de Keltische godin Adsaluta. Waarschijnlijk betekent hij: "knap, mooi". De naam kreeg grote bekendheid door de Keltische legende van Tristan en Isolde.

Isotta *v* (Duits) Zie Isolde.

István *m* (Hongaars) Zie Stephan.

Ite *v* Zie Ida.

Itske *v* (Fries) Zie Ida.

Iva *v* Zie Eva of vrouwelijke vorm afgeleid van Ive.

Ivan *m* Mannelijke vorm die is afgeleid van Johannes.

Ivana *v* (Slavisch) Vrouwelijke vorm afgeleid van Johannes.

Ivanne *v* (Frans) Vrouwelijke vorm van Ivan.

Ivanka *v* (Slavisch) Vrouwelijke vorm afgeleid van Johannes.

Ivar *m* (Scandinavisch) Zie Ingvar.

Ive *m* (Fries) Waarschijnlijk houdt deze naam verband met *ijf*, de Germaanse naam voor "taxus".

Iven *m* (Scandinavisch) Zie Johannes.

Ivo *m* Zie Ive.

Ivor *m* (Schots, Iers) Zie Ivar.

Iwan *m* (Slavisch) Zie Johannes.

Izaak *m* Zie Isaac.

Jaak *m* Zie Jakob.

Jaan *m* Zie Adriaan.

Jaap *m* Zie Jakob.

Jacco *m* Zie Jakob.

Jaccoline *v* (Engels) Vrouwelijke vorm afgeleid van Jakob.

Jacelyn *v* (Engels) Vrouwelijke vorm afgeleid van Jakob.

Jacinda *v* Vrouwelijke vorm afgeleid van Hyacinthus.

Jacinth *v* (Spaans) Vrouwelijke vorm afgeleid van Hyacinthus. Ook **Jacintha**.

Jack *m* (Engels) Zie Johannes.

Jackelien *v* Vrouwelijke vorm afgeleid van Jakob.

Jackie *v* (Engels) Vrouwelijke vorm afgeleid van Jakob.

Jacky *v* (Engels) Vrouwelijke vorm afgeleid van Jakob.

Jaco *m* Zie Jakob.

Jacob *m* Zie Jakob.

Jacoba *v* Vrouwelijke vorm van Jakob.

Jacobien *v* Vrouwelijke vorm van Jakob.

Jacobine *v* (Schots) Vrouwelijke vorm van Jakob.

Jacobus *m* Zie Jakob.

Jacoline *v* (Engels) Vrouwelijke vorm afgeleid van Jakob.

Jacomine *v* Vrouwelijke vorm afgeleid van Jakob.

Jacorine *v* Combinatienaam van Jakob en Corien.

Jacquelien *v* Vrouwelijke vorm afgeleid van Jakob.

Jacqueline *v* (Frans) Vrouwelijke vorm afgeleid van Jakob.

Jacques *m* (Frans) Zie Jakob.

Jacub *m* (Slavisch) Zie Jakob.

Jacubowski *m* (Slavisch) Zie Jakob.

Jade *v* De naam slaat op de groene edelsteen jade, die geluk zou brengen.

Jadith *v* Zie Judith.

Jadwiga *v* (Slavisch) Zie Hadewig.

Jadwige *v* (Slavisch) Zie Hadewig.

Jaenet *v* Vrouwelijke vorm afgeleid van Johannes.

Jago *m* (Spaans) Zie Jakob.

Jai *m* (Engels) Zie Jakob.

Jaime *m* (Portugees, Spaans) Zie Jakob.

Jaimy *m* (Engels) Zie Jakob.

Jair *m* Hebreeuwse naam die "hij (God) verlicht" betekent. Ook **Jaïr** gespeld.

Jairo *m* Zie Jair.

Jaitse *m* (Fries) Een zogenaamde bakernaam, d.w.z. een naam die in de kindermond is ontstaan en later een officiële naam werd. Waarschijnlijk houdt hij verband met het Germaanse *ijf* (taxus).

Jakira *v* Vrouwelijke vorm afgeleid van Jakob.

Jakko *m* Zie Jakob.

Jako *m* Zie Jakob.

Jakob *m* Naam die zijn oorsprong

vindt in het Hebreeuwse *ja'aqób*, dat mogelijk betekent "hij greep de hiel, hij verdrong (zijn broeder)", uit het bijbelverhaal van Jakob en Esau, de zonen van Isaak. Ook **Jacob** gespeld.

Jakorien *v* Combinatienaam van Jakob en Corien.

Jalien *v* Vrouwelijke vorm afgeleid van Jakob.

Jalle *m* (Fries) Mogelijk een verkorte vorm van namen met de Germaanse stam *gêls* (levenslustig, vrolijk).

Jamal *m* (Arabisch) De naam betekent "knap, mooi".

James *m* (Engels) Zie Jakob.

Jametta *v* (Portugees, Spaans) Vrouwelijke vorm afgeleid van Jakob.

Jamie *m/v* (Engels) Zie James.

Jamil *m* (Arabisch) Zie Jamal.

Jamilla *v* (Arabisch) Vrouwelijke vorm van Jamal.

Jan *m* Zie Johannes.

Jan-Paul *m* Combinatienaam van Johannes en Paulus.

Jan-Willem *m* Combinatienaam van Johannes en Wilhelm.

Jana *v* (Slavisch) Vrouwelijke vorm afgeleid van Johannes.

Jana *v* Vrouwelijke vorm afgeleid van Adriaan.

Janaika *v* (Slavisch) Vrouwelijke vorm afgeleid van Johannes.

Janca *v* (Fries) Vrouwelijke vorm die afgeleid is van Johannes.

Janco *m* (Hongaars) Zie Johannes.

Jane *m* Zie Adriaan.

Jane *v* (Engels) Vrouwelijke vorm afgeleid van Johannes.

Janek *m* (Slavisch) Zie Johannes.

Janet *v* (Engels) Vrouwelijke vorm afgeleid van Johannes. Ook **Janette** gespeld.

Janice *v* (Engels) Vrouwelijke vorm afgeleid van Johannes.

Janick *m/v* Ook **Jannick** of **Janique** gespeld. Zie Yannick.

Janiek *v* Vrouwelijke vorm afgeleid van Johannes.

Janik *m* (Scandinavisch) Zie Johannes.

Janika *v* (Slavisch) Vrouwelijke vorm afgeleid van Johannes.

Janina *v* (Slavisch) Vrouwelijke vorm afgeleid van Johannes.

Janine *v* Vrouwelijke vorm afgeleid van Johannes.

Janinka *v* Combinatienaam van Jannie en Katinka.

Janis *v* (Engels) Vrouwelijke vorm afgeleid van Johannes.

Janita *v* (Slavisch) Vrouwelijke vorm afgeleid van Johannes.

Janka *v* (Slavisch, Hongaars) Vrouwelijke vorm afgeleid van Johannes.

Janke *v* (Fries) Vrouwelijke vorm afgeleid van Johannes.

Janko *m* (Hongaars, Slavisch) Zie Johannes.

Janna *v* Vrouwelijke vorm afgeleid van Johannes.

Jannai *m* (Slavisch) Zie Johannes.

Janne *v* Vrouwelijke vorm afgeleid van Johannes.

Janneke *v* Vrouwelijke vorm afgeleid van Johannes.

Jannes *m* Zie Johannes.

Jannet *v* Vrouwelijke vorm afgeleid van Johannes.

Jannie *v* Vrouwelijke vorm afgeleid van Johannes.

Jannita *v* Vrouwelijke vorm afgeleid van Johannes.

Janno *m* Zie Johannes.

Janny *v* (Engels) Vrouwelijke vorm afgeleid van Johannes.

Jano *m* (Hongaars) Zie Johannes.

Janos *m* (Hongaars) Zie Johannes.

Janothan *m* Zie Jonathan.

Jans *m/v* Zie Johannes.

Jantien *v* Vrouwelijke vorm afgeleid van Johannes.

Jantina *v* Vrouwelijke vorm afgeleid van Johannes.

Jantine *v* Vrouwelijke vorm afgeleid van Johannes.

Janus *m* Zie Johannes.

Januska *v* (Slavisch) Vrouwelijke vorm afgeleid van Johannes.

Jany *m/v* Zie Johannes.

Jaochim *m* Zie Joachim.

Japik *m* (Fries) Zie Jakob.

Jara *m/v* (Slavisch) Zie Jaromir.

Jarco *m* Zie Jarich.

Jard *v* (Fries) Vrouwelijke vorm afgeleid van Jarich.

Jardi *m/v* Zie Jarich.

Jarich *m* (Fries) Koosnaam afgeleid van ingekorte namen met de Germaanse stam *gêr* (speer).

Jarka *v* (Fries) Vrouwelijke vorm afgeleid van Jarich.

Jarno *m* Zie Jeremia.

Jaro *m* (Slavisch) Zie Jaromir.

Jaromir *m* (Slavisch) Samenstelling van de Russische woorden *jaryi* (heftig, fel) en *mir* (vrede). Als betekenis wordt gegeven: "de door zijn moed beroemde".

Jaron *m* Naam die is afgeleid van het Griekse *hieron*, met als betekenis "het gewijde, wijgeschenk".

Jaroslav *m* (Slavisch) Aan de naam wordt dezelfde betekenis gegeven als aan Jaromir.

Jarrik *m* Zie Jarich.

Jarrin *m* Naam die is afgeleid van het Griekse *hiereion*, met als betekenis "offerdier".

Jarsto *m* Zie Christiaan.

Jascha *m* (Slavisch) Zie Jakob.

Jasja *v* Vrouwelijke vorm afgeleid van Jakob.

Jasmijn *v* Naam van Perzische oorsprong, naar de jasmijnbloem, die het symbool is voor de maagd Maria. In China is de jasmijn het symbool voor vrouwelijkheid en aantrekkelijkheid.

Jasmin *v* Zie Jasmijn.

Jasmine *v* (Engels, Frans) Zie Jasmijn.

Jason *m* Naam die is afgeleid van het Griekse *iasis* (genezing), met als betekenis "genezing brengend". In de Griekse mythologie was Jason de leider van de Argonauten, die het Gulden Vlies haalden.

Jasper *m* (Fries) Zie Caspar.

Jasperina *v* Vrouwelijke vorm afgeleid van Caspar.

Javan *m* Hebreeuwse naam naar een plaats die vertaald wordt als "Griekenland".

Javina *v* Vrouwelijke vorm van Javan.

Jay *m/v* (Engels) Het gaat hier eenvoudig om de uitspraak van de letter J, als koosnaam afgeleid van namen die met deze letter beginnen. Het Engelse *jay* betekent "gaai".

Jean *m* (Frans) Zie Johannes.

Jean-Claude *m* (Frans) Combinatienaam van Johannes en Claude.

Jeanine *v* (Frans) Vrouwelijke vorm afgeleid van Johannes.

Jean-Luc *m* (Frans) Combinatienaam van Johannes en Lucas.

Jeanne *v* (Frans) Vrouwelijke vorm afgeleid van Johannes.

Jeannette *v* (Frans) Vrouwelijke vorm afgeleid van Johannes.

Jean-Paul *m* (Frans) Combinatienaam van Johannes en Paulus.

Jean-Pierre *m* (Frans) Combinatienaam van Johannes en Petrus.

Jef *m* Zie Jozef.

Jeff *m* (Engels) Zie Godfried.

Jeffrey *m* (Engels) Zie Godfried.

Jefta *m/v* Hebreeuwse naam met als betekenis "Hij (God) opende" of "moge Hij (God) openen". Jefta was een van de rechters van Israël.

Jehan *m* Zie Johannes.

Jekaterina *v* (Slavisch) Zie Catharina.

Jel *m* Zie Jelle of Gabriel.

Jelco *m* (Fries) Zie Jelle.

Jeldert *m* (Fries) Zie Adelhard of Geldert.

Jelena *v* (Slavisch) Zie Helena.

Jelien *v* (Fries) Vrouwelijke vorm afgeleid van Jelle.

Jelinka *v* (Slavisch) Zie Helena.

Jelja *v* (Hongaars) Zie Helena.

Jella *v* (Fries) Vrouwelijke vorm van Jelle.

Jelle *m* (Fries) Door de verwisseling van "g" en "j" een variant of verkorte vorm van namen met de Germaanse stam *geld* (waarde, vergelding).

Jellis *m* (Fries) Waarschijnlijk een variant van de naam Gilles, die een koosnaam is van Aegidius (zie aldaar).

Jelmar *m* (Fries) Samenstelling van de Germaanse stamvormen *adal* (adel) en *mâr* (vermaard). Betekenis:

"door adel vermaard".

Jelmer *m* (Fries) Zie Jelmar.

Jels *m* Zie Jelle of Jellis.

Jelte *m* (Fries) Naam met de Germaanse stam *geld* (waarde, vergelding).

Jemaine *v* Vrouwelijke vorm afgeleid van German.

Jendrik *m* (Slavisch) Zie Hendrik.

Jenita *v* Vrouwelijke vorm afgeleid van Johannes.

Jenneke *v* Vrouwelijke vorm afgeleid van Johannes.

Jennifer *v* (Engels) Zie Guinevere.

Jennis *m* Zie Johannes.

Jenno *m* Zie Johannes.

Jenny *v* (Engels) Zie Guinevere.

Jens *m* (Scandinavisch, Fries) Zie Johannes.

Jensine *v* (Scandinavisch) Vrouwelijke vorm afgeleid van Johannes.

Jenske *v* (Fries) Vrouwelijke vorm afgeleid van Johannes.

Jenö *m* (Hongaars) Zie Eugenius.

Jeoffrey *m* (Engels) Zie Godfried.

Jera *v* Zie Jerre of Jeremia.

Jerel *v* Vrouwelijke vorm van Jerre.

Jeremi *m* Zie Jeremia.

Jeremia *m* Hebreeuwse naam die vermoedelijk "Jahweh sticht" betekent. Jeremia was een van de profeten uit het Oude Testament. De Griekse vorm is **Jeremias**.

Jeremie *v* Vrouwelijke vorm van Jeremia.

Jeremy *m* (Engels) **Jérémy** (Frans) Zie Jeremia.

Jerien *m* Zie Gregorius.

Jerina *v* Vrouwelijke vorm afgeleid van Gregorius of Jeremia.

Jerka *v* Zie Jerre.

Jerko *m* Zie Jerre.

Jermain *m* Zie German.

Jermias *m* Zie Jeremia.

Jermo *m* Zie Jarno.

Jerna *v* Vrouwelijke vorm afgeleid van Hieronymus.

Jero *m* (Slavisch) Zie Hieronymus.

Jeroen *m* Zie Hieronymus.

Jerome *m* (Engels) **Jérôme** (Frans) Zie Hieronymus.

Jeromy *m* (Engels) Zie Hieronymus.

Jeron *m* Zie Hieronymus.

Jeronimo *m* (Spaans) Zie Hieronymus.

Jerre *m* (Fries) Zie Erik of Hare.

Jerrel *m* (Fries) Zie Erik.

Jerrold *m* (Engels) Zie Gerald.

Jerry *m* (Engels) Zie Gerald, Gerard of Jeremia.

Jerzy *m* (Slavisch) Zie George.

Jesca *v* Zie Jessica.

Jesaja *m* Hebreeuwse naam die "Jahweh is goed" betekent. Ook **Jeshaja** gespeld. De Griekse vorm is **Esaias**.

Jesper *m* Zie Caspar.

Jessamy *v* Combinatienaam van Jessica en Amy.

Jesse *m* (Fries, Engels) De Friese

naam is afgeleid van het Hebreeuwse *is* (man). In Angelsaksische landen wordt de naam verklaard uit het Hebreeuwse *jesse*, dat "geschenk" betekent.

Jessica *v* (Engels) Vrouwelijke vorm afgeleid van Jiska.

Jessie *v* (Schots) Vrouwelijke vorm afgeleid van Johannes.

Jessika *v* (Scandinavisch) Vrouwelijke vorm afgeleid van Jiska.

Jester *v* Zie Esther.

Jet *v* Vrouwelijke vorm afgeleid van Hendrik.

Jetske *v* Vrouwelijke vorm afgeleid van Hendrik.

Jetta *v* Vrouwelijke vorm afgeleid van Hendrik.

Jette *v* Vrouwelijke vorm afgeleid van Hendrik.

Jetty *v* Vrouwelijke vorm afgeleid van Hendrik.

Jetze *m* (Fries) Verkorte vorm van namen met de Germaanse stam *ewa* (recht, wet).

Jeunessa *v* (Frans) Naam die is afgeleid van het Franse woord *jeunesse* (jeugd).

Jevon *m* (Keltisch) Zie Johannes.

Jibbe *m* (Fries) Zie Gabe en Gebbe.

Jildert *m* (Fries) Zie Hildert of Jeldert.

Jill *m/v* (Engels) Zie Jelle of Julius.

Jilly *v* (Engels) Vrouwelijke vorm afgeleid van Julius.

Jim *m* (Engels, Fries) Zie Jakob.

Jimi *m* (Engels) Zie Jim.

Jimmy *m* (Engels) Zie Jakob.

Jindrich *m* (Slavisch) Zie Hendrik.

Jiri *m* (Slavisch) Zie George.

Jiry *m* (Slavisch) Zie George.

Jis *m* (Fries) Verkorte vorm van namen met de Germaanse stam *ase* (god).

Jisca *v* Vrouwelijke vorm van Jiska.

Jiska *m* Hebreeuwse naam met als betekenis "hij ziet uit naar God". De naam kan ook een vrouwelijke vorm zijn van Jis.

Jisse *v* (Fries) Vrouwelijke vorm van Jis.

Jissy *v* (Fries) Vrouwelijke vorm van Jis.

Jitka *v* (Scandinavisch) Zie Jutta.

Jitse *m* (Fries) Zie Ede.

Jitske *v* (Fries) Vrouwelijke vorm afgeleid van Ede.

Jo *m/v* Zie Johannes.

Joachim *m* Naam afgeleid van de Hebreeuwse naam *Jehojakim*, met als betekenis "Jahweh richt op".

Joakim *m* (Slavisch) Zie Joachim.

Joalien *v* Vrouwelijke vorm afgeleid van Jelle.

Joan *v* (Engels) Vrouwelijke vorm afgeleid van Johannes.

Joanita *v* Zie Janita.

Joanna *v* (Slavisch) Vrouwelijke vorm van Johannes.

Joanne *v* Vrouwelijke vorm die is

afgeleid van Johannes.

Joaquím *m* (Spaans) Zie Joachim.

Joaquín *m* (Spaans) Zie Joachim.

Job *m* De naam kan een verkorte vorm zijn van Jakob, maar is ook een zelfstandige Hebreeuwse naam met als betekenis "de vervolgde".

Jobbi *m* (Zwitsers) Zie Jakob.

Jocelyn *m/v* (Engels) Koosnaam afgeleid van een naam met de Germaanse stam *gaut* (van de stam der Goten).

Jochem *m* Zie Joachim.

Jochen *m* (Duits) Zie Joachim.

Jocintha *v* Vrouwelijke vorm afgeleid van Hyacinthus.

Jockel *m* (Zwitsers) Zie Jakob.

Jocki *m* (Zwitsers) Zie Jakob.

Jodoc *m* Zie Jodocus.

Jodocus *m* Naam die is afgeleid van de Bretonse naam *Judoc*, met als betekenis "krijger". De naam lijkt ook verband te houden met het Griekse *iodokos*, dat "pijlen bevattend" betekent.

Jody *m/v* (Engels) Zie Jodocus of Judith.

Joe *m* (Engels) Zie Jozef.

Joel *m* (Engels) Ook **Joël** (Frans) gespeld. Hebreeuwse naam met als betekenis "Jahweh is God".

Joella *v* Ook **Joëlla** gespeld. Vrouwelijke vorm van Joel.

Joelle *v* (Engels) Ook **Joëlle** (Frans) gespeld. Vrouwelijke vorm van Joel.

Joep *m* Zie Jakob, Job of Jozef.

Joere *m* (Fries) Verkorte vorm van namen met de Germaanse stam *ever* (everzwijn). De naam kan ook een variant zijn van Joeri.

Joeri *m* (Slavisch) Zie George. Ook **Youri** (Frans) gespeld.

Joffrey *m* (Engels) Zie Godfried.

Joggi *m* (Zwitsers) Zie Jakob.

Johan *m* Zie Johannes.

Johann *m* (Duits) Zie Johannes.

Johanna *v* (Duits) Vrouwelijke vorm van Johannes.

Johannes *m* Naam die is afgeleid van de Hebreeuwse naam *Johanan*, met als betekenis "Jahweh is genadig". De naam is al heel lang populair en kent tal van varianten en afgeleide vormen in verschillende talen.

John *m* (Engels) Zie Johannes.

Johnny *m* (Engels) Zie Johannes.

Joke *v* Vrouwelijke vorm afgeleid van Johannes.

Jokum *m* (Scandinavisch) Zie Joachim.

Jola *v* Zie Jolanda.

Jolanda *v* Naam die is samengesteld uit het Griekse *ion* (viooltje) en *anthos* (bloem) of die is afgeleid van het Latijnse *violante* (viooltje).

Jolande *v* Zie Jolanda. Ook **Yolande** (Frans) gespeld.

Jolein *v* Vrouwelijke vorm afgeleid van Johannes.

Jolette *v* Vrouwelijke vorm afgeleid van Johannes.

Jolie *v* (Frans) Het Franse woord *jolie* (vrouwelijke vorm van *joli)* betekent "mooi, bekoorlijk".

Jolien *v* Vrouwelijke vorm afgeleid van Johannes.

Jolina *v* Vrouwelijke vorm afgeleid van Johannes.

Jolita *v* Zie Jolanda.

Jolke *m* (Fries) Zie Jelle.

Jolle *m* (Fries) Zie Jelle.

Jolly *v* Zie Jolanda of vrouwelijke vorm afgeleid van Jolle.

Jomina *v* Combinatienaam van Johanna en Wilhelmina.

Jon *m* (Engels, Scandinavisch) Zie Johannes of Jonathan.

Jona *m* Hebreeuwse naam die letterlijk "duif" betekent. De Griekse vorm is **Jonas**. De naam kan ook worden gezien als een verkorte vorm van Jonathan.

Jonah *m* (Engels) Zie Jona.

Jonas *m* Zie Jona.

Jonathan *m* Hebreeuwse naam die "geschenk van God" betekent.

Jones *m* (Engels) Zie Jona.

Joni *m* Zie Jonathan of Jona.

Jonine *v* Vrouwelijke vorm van Joni.

Jonna *v* (Scandinavisch) Vrouwelijke vorm afgeleid van Johannes.

Jonne *m* Zie Johannes.

Jons *m* Zie Johannes.

Jony *m* (Engels) Zie Joni.

Joop *m* Zie Jozef of Johannes.

Joos *m* Zie Jozef.

Joost *m* Zie Jodocus of Justus.

Jop *m* Zie Job, Jakob of Jozef.

Jopi *m/v* Zie Joop.

Joppe *m* Zie Jakob.

Jor *m* Zie Joram, Jordanus, Jorre of George.

Jora *v* Vrouwelijke vorm van Jor.

Joram *m* Hebreeuwse naam die "Jahweh is verheven" betekent.

Joran *m* Zie Joram.

Jord *m* Zie Jordanus.

Jordana *v* Vrouwelijke vorm van Jordanus.

Jordanus *m* De betekenis is onzeker. Het kan gaan om de gelatiniseerde vorm van een naam met de Germaanse stam *jordh* (aarde, land). De naam kan ook verband houden met de rivier de Jordaan, waar Jezus door Johannes de Doper in gedoopt werd.

Jorden *m* (Engels) Zie Jordanus.

Jordi *m* (Frans) Zie George of Jordanus.

Jordy *m* Zie Jordi.

Jorg *m* Zie George.

Jörg *m* (Duits) Zie George.

Jorge *m* (Spaans) Zie George.

Jorian *m* Zie George.

Jorien *v* Vrouwelijke vorm afgeleid van George.

Jorik *m* (Fries) Zie Jork.

Jorinda *v* Zie Jorinde.

Jorinde *v* Combinatienaam van George en Linda.

Jorine *v* Vrouwelijke vorm afgeleid van George.

Joris *m* Zie George.

Jork *m* (Fries) Verkorte koosnaam afgeleid van namen met de Germaanse stamvormen *ever* (everzwijn) en *win* (vriend). Betekenis: "vriend van de ever".

Jorma *v* Vrouwelijke vorm van Joram.

Jorn *m* (Fries) Verkorte koosnaam afgeleid van de Germaanse naam Everwijn, samengesteld uit de stamvormen *ever* (everzwijn) en *win* (vriend). Betekenis: "vriend van de ever".

Jorre *m* (Fries) Zie Jorn.

Jorrit *m* (Fries) Zie Everhard.

Jort *m* (Fries) Zie Everhard.

Jory *m* Zie George.

Jos *m/v* Zie Jozef.

Josca *v* Vrouwelijke vorm afgeleid van Jozef.

José *m* (Spaans, Frans) Zie Jozef.

Josée *v* (Frans) Vrouwelijke vorm afgeleid van Jozef.

Josef *m* Zie Jozef.

Josefine *v* Vrouwelijke vorm van Jozef.

Joseph *m* (Engels, Frans) Zie Jozef.

Joséphine *v* (Frans) Vrouwelijke vorm van Jozef. Wordt vaak ook

Josèphe (Frans) gespeld.

Josetta *v* Zie Josette.

Josette *v* (Frans) Vrouwelijke vorm van Jozef.

Joshua *m* (Engels) Zie Jozua.

Josia *m* Hebreeuwse naam met als betekenis "Jahweh brengt genezing".

Josianne *v* Vrouwelijke vorm van Josia. Ook **Josiane** (Frans) gespeld.

Josien *v* Zie Josefine.

Josin *m* (Engels) Zie Josia.

Josina *v* Zie Josefine.

Josip *m* (Slavisch) Zie Jozef.

Josja *m* (Slavisch) Zie Aljoscha.

Joska *v* Vrouwelijke vorm afgeleid van Jozef.

Joske *v* Vrouwelijke vorm afgeleid van Jozef.

Josry *m* Combinatienaam van Jozef en Maria.

Josse *m/v* Zie Jodocus of Jozef.

Josselien *v* Zie Jocelyn.

Jossie *v* Zie Jocelyn of vrouwelijke vorm afgeleid van Jozef.

Jossip *m* (Slavisch) Zie Jozef.

Jossy *v* (Engels) Vrouwelijke vorm afgeleid van Jozef.

Jowan *m* Zie Johannes.

Joy *v* (Engels) Betekent letterlijk "vreugde".

Joyce *v* (Engels) Zie Joy.

Jozef *m* Hebreeuwse naam met als betekenis "Jahweh geve vermeerdering". De populariteit van de naam

is te danken aan Jozef van Nazareth,
de man van Maria.

Józef *m* (Slavisch) Zie Jozef.

Jozefa *v* Vrouwelijke vorm van
Jozef.

Jozefien *v* Vrouwelijke vorm afgeleid van Jozef.

Jozua *m* Hebreeuwse naam die
"Jahweh helpt" betekent. De Griekse vorm van deze naam is **Jesus**.

Juan *m* (Spaans) Zie Johannes.

Juana *v* (Spaans) Vrouwelijke vorm
afgeleid van Johannes.

Juanita *v* (Spaans) Vrouwelijke
vorm afgeleid van Johannes.

Juanito *m* (Spaans) Zie Johannes.

Judica *v* Zie Judith.

Judie *v* Zie Judith.

Judintha *v* (Duits) Zie Judith.

Judith *v* Naam die is afgeleid van
de Hebreeuwse naam *Jehudith*, die
waarschijnlijk "vrouw uit Judea"
betekent.

Judy *v* (Engels) Zie Judith.

Juhana *v* (Fins) Zie Johannes.

Juhani *m* (Fins) Zie Johannes.

Jules *m* (Frans) Zie Julius.

Julia *v* Vrouwelijke vorm van Julius.

Julian *m* (Engels) Zie Julius.

Juliana *v* Vrouwelijke vorm van
Julius.

Julie *v* (Frans) Vrouwelijke vorm
van Julius.

Julien *m* (Frans) Zie Julius.

Julienne *v* (Frans) Vrouwelijke
vorm van Julien.

Juliet *v* (Engels) Vrouwelijke vorm
van Julius. Ook **Juliette** (Frans).

Julietta *v* Vrouwelijke vorm van
Julius. Ook **Juliette** (Frans) gespeld.

Julio *m* (Spaans) Zie Julius.

Julischka *v* (Hongaars) Vrouwelijke
vorm afgeleid van Julius.

Juliska *v* (Hongaars) Vrouwelijke
vorm afgeleid van Julius.

Julius *m* Naam van een Romeins
geslacht. De betekenis is onzeker.
De naam zou verband kunnen houden met het Griekse *ioulos* (de eerste
baardharen) en de betekenis luidt
dan "de jongeling". De naam kan
echter ook afgeleid zijn van het
Latijnse *jovilius*, dat "gewijd aan
Jupiter" betekent.

Julka *v* (Hongaars) Vrouwelijke
vorm afgeleid van Julius.

Jullian *m* (Engels) Zie Julius.

July *v* (Engels) Vrouwelijke vorm
afgeleid van Julius.

June *v* (Engels) Betekent letterlijk
de maand "juni". Vooral gegeven
aan meisjes die in juni worden
geboren.

Juno *v* In de klassieke mythologie is
Juno, de vrouw van Jupiter, de
beschermgodin van de vrouw, het
huwelijk en de geboorte. De maand
juni was aan deze godin gewijd.

Junus *m* Zie Johannes of Juno.

Jurg *m* Zie George.

Jurgen *m* (Duits) Ook **Jürgen** gespeld. Zie George.

Juri *m* (Slavisch) Zie George.

Jurian *m* (Duits) Zie George.

Jurjen *m* Zie George.

Jurmen *m* (Fries) Samenstelling van de Germaanse stamvormen *ever* (everzwijn) en *man* (man, mens). Betekenis: "everman" in de zin van "dappere krijger".

Jürn *m* (Duits) Zie George.

Jurrit *m* (Fries) Zie Everhard.

Jussi *m* (Fins) Zie Johannes.

Jussuf *m* (Arabisch) Zie Jozef.

Just *m* Zie Justus.

Justa *v* Zie Justus of Augustus.

Justin *m* (Frans) Zie Justus.

Justine *v* Vrouwelijke vorm van Justin.

Justus *m* Latijnse naam met als betekenis "rechtvaardig".

Jutka *v* Zie Judith.

Jutta *v* (Scandinavisch) Zie Judith.

Jytte *v* (Scandinavisch) Zie Judith.

Kaarina *v* (Fins) Zie Catharina.

Kadir *m* (Turks) Naam afgeleid van *kadi*. Een kadi is bij de mohammedanen een rechter.

Kai *m* (Duits) Zie Kaj.

Kaj *m* (Scandinavisch) Koosnaam afgeleid van Cornelis, Gerrit of Nicolaas.

Kallista *v* Naam die is afgeleid van het Griekse *kallistos*, dat "de zeer schone" betekent. In de Griekse mythologie is Kallista een Arkadische nimf.

Kalman *m* (Hongaars) De betekenis van deze naam is onzeker. Mogelijk is er een verband met de Ierse familienaam Coloman (tevens naam van een heilige). De betekenis is dan "kluizenaar" of "gehelmde".

Kamiel *m* Zie Camillus.

Kamila *v* Vrouwelijke vorm van Camillus.

Karcie *v* Zie Gratia.

Karel *m* Naam van Germaanse oorsprong met als betekenis "kerel, man, vrije man". De Latijnse vorm is **Carolus**.

Karen *v* (Scandinavisch) Zie Catharina.

Kari *v* (Scandinavisch) Zie Catharina.

Karianne *v* Zie Catharina.

Karien *v* Zie Catharina.

Karijn *v* Zie Catharina.

Karim *m* Zie Keriem.

Karin *v* (Scandinavisch) Zie Catharina.

Karin *v* Zie Catharina.

Karina *v* (Scandinavisch) Zie Catharina.

Karine *v* Zie Catharina.

Karl *m* (Duits) Zie Karel.

Karla *v* (Duits) Vrouwelijke vorm van Karel.

Karlien *v* Zie Carolina.

Karlyn *v* (Engels) Zie Carolina.

Karol *m* (Scandinavisch) Zie Karel.

Karola *v* Vrouwelijke vorm van Karel.

Karoly *m* (Hongaars) Zie Karel.

Kars *m* (Fries) Zie Christiaan.

Karsten *m* (Fries) Zie Christiaan.

Kas *m* Zie Caspar.

Kasimir *m* Zie Casimir.

Kaspar *m* Zie Caspar.

Kasper *m* Zie Caspar.

Kassandra *v* (Duits) Zie Cassandra.

Kata *v* (Hongaars) Zie Catharina.

Katalin *v* (Hongaars) Zie Catharina. Ook **Katalyn** gespeld.

Katalina *v* (Hongaars) Zie Catharina.

Katarzyna *v* (Slavisch) Zie Catharina.

Kate *v* (Engels) Zie Catharina.

Katelijn *v* Zie Catharina.

Katharina *v* Zie Catharina.

Käthe *v* (Duits) Zie Catharina.

Kathleen *v* (Iers) Zie Catharina.

Kathy *v* (Engels) Zie Catharina.

Kati *v* (Duits) Zie Catharina.

Katina *v* (Slavisch) Zie Catharina.

Katinka *v* (Slavisch, Hongaars) Zie Catharina.

Katja *v* (Slavisch) Zie Catharina.

Katjuschka *v* (Slavisch) Zie Catharina.

Katjusja *v* (Slavisch) Zie Catharina.

Katrien *v* Zie Catharina.

Katrijn *v* Zie Catharina.

Katrischa *v* (Slavisch) Zie Catharina.

Kay *m* (Engels) Zie Gaius.

Kees *m* Zie Cornelis.

Keith *m* (Schots) Naam die waarschijnlijk is afgeleid van het Gaelische *coed* (bos, woud). Oorspronkelijk een geografische naam die later familienaam en voornaam werd.

Kelly *v* (Iers) Oorspronkelijk een familienaam met als betekenis "komend uit de oorlog".

Kelvin *m* (Schots) Oorspronkelijk een familienaam afgeleid van een rivier in Schotland.

Ken *m* (Schots) Zie Kenneth.

Kendra *v* (Engels) Combinatienaam van Kenneth en Alexandra.

Kenneth *m* (Schots) Naam die is afgeleid van het Gaelische *caioneach*, dat "knap, mooi" betekent.

Kenny *m* (Engels) Zie Kenneth.

Kenrick *m* (Engels) Naam die waarschijnlijk is afgeleid van de Oudengelse naam **Cynric** (zie aldaar).

Kent *m* (Engels) De naam is zowel een rivier- en een plaatsnaam als een familie- en een voornaam. De betekenis is "grens, rand".

Keriem *m* (Arabisch) Naam die is afgeleid van *Allah kerim*, wat zoveel betekent als "laat het maar aan God over" of "Allah is goed".

Kerstin *v* (Fries, Scandinavisch) Vrouwelijke vorm afgeleid van Christiaan.

Kester *m* (Engels) Zie Christoforus.

Kevin *m* (Iers) Naam die is afgeleid van het Ierse *caoimghin*, dat "knap door of bij geboorte" betekent.

Kick *m* Zie Cornelis.

Kicky *v* Vrouwelijke vorm afgeleid van Cornelis.

Kilian *m* (Iers) De betekenis van deze van oorsprong Keltische naam is onzeker. Waarschijnlijk is hij afgeleid van het Keltische *killena*, dat "man van de kerk" betekent.

Kim *m/v* (Engels) Verkorte vorm van **Kimball** (voor jongens), met als betekenis "oorlogsaanvoerder", of van **Kimberley** (voor meisjes).

Kimberley *v* (Engels) Oorspronkelijk een plaatsnaam met als betekenis "bosweide van Cyneburg". Later ook een familienaam en een voornaam.

Kimberly *v* (Engels) Zie Kimberley.

Kiona *v* Zie Anna.

Kirby *v* (Engels) Oorspronkelijk een

plaatsnaam die is afgeleid van de
Oudnoorse stamvormen *krikja* (kerk)
en *bu* (woonplaats), met als betekenis "dorp met kerk". Later een familienaam en voornaam.

Kiril *m* Zie Cyrillus.

Kirsi *v* Vrouwelijke vorm afgeleid
van Christiaan.

Kirsten *v* (Scandinavisch) Vrouwelijke vorm afgeleid van Christiaan.

Kirsten *m* Zie Christiaan.

Kirstin *v* (Scandinavisch) Vrouwelijke vorm afgeleid van Christiaan.

Kirsty *v* (Schots) Vrouwelijke vorm
afgeleid van Christiaan.

Kitty *v* (Engels) Zie Catharina.

Klaar *v* Zie Clara.

Klaartje *v* Zie Clara.

Klaas *m* Zie Nicolaas.

Klari *v* Zie Clara.

Klarieke *v* Zie Clara.

Klarinda *v* Combinatienaam van
Clara en Linda.

Klaudia *v* (Duits) Vrouwelijke vorm
van Claudius.

Klaus *m* (Duits) Zie Nicolaas.

Klazina *v* Vrouwelijke vorm afgeleid van Nicolaas.

Klem *m* Zie Clement.

Klemens *m* Zie Clement.

Kloris *m* Zie Chloris.

Knud *m* (Scandinavisch) Oorspronkelijk een bijnaam met als betekenis
"de bedwinger" of "waaghals". Ook
Knut gespeld.

Kobe *m* Zie Jakob.

Koen *m* Zie Koenraad.

Koenraad *m* Samenstelling van de
Germaanse stamvormen *kôni* (koen,
bekwaam) en *râd* (raad, advies).
Betekenis: "bekwaam in het raadge-
ven".

Koert *m* Zie Koenraad.

Kole *v* Vrouwelijke vorm afgeleid
van Nicolaas.

Konni *m* (Fins) Zie Konrad.

Konrad *m* (Duits) Zie Koenraad.

Koos *m* Zie Jakob.

Kor *m* Zie Cornelis.

Korien *v* Vrouwelijke vorm afgeleid
van Cornelis.

Korinda *v* Vrouwelijke vorm afgeleid van Cornelis.

Korinne *v* Vrouwelijke vorm afgeleid van Cornelis.

Korneel *m* Zie Cornelis.

Kornelis *m* Zie Cornelis.

Kors *m* Zie Cornelis of Christiaan.

Korsten *m* Zie Christiaan.

Kostja *m* (Slavisch) Zie Constantijn.

Kresta *v* Vrouwelijke vorm afgeleid
van Christiaan.

Kris *m* Zie Christiaan.

Krispijn *m* Zie Crispijn.

Krist *m* Zie Christiaan.

Krista *v* Vrouwelijke vorm afgeleid
van Christiaan.

Kristel *v* (Duits) Vrouwelijke vorm
afgeleid van Christiaan.

Kristiaan *m* Zie Christiaan.

Kristian *m* (Scandinavisch) Zie Christiaan.

Kristina *v* (Scandinavisch) Vrouwelijke vorm afgeleid van Christiaan. Ook **Kristine** of **Kristien** gespeld.

Kunibert *m* Samenstelling van de Germaanse stamvormen *kuni* (koninklijk geslacht) en *berht* (schitterend): "van uitstekende familie".

Kuno *m* (Duits) Zie Kunibert.

Kurt *m* (Duits) Zie Koenraad.

Kyle *m* (Schots) Oorspronkelijk een riviernaam afgeleid van het Gaelische *caol* (nauw). Later werd hij ook een familienaam en een voornaam.

Kyra *v* (Slavisch) Vrouwelijke vorm afgeleid van Cyrillus.

Kyrill *m* (Slavisch) Zie Cyrillus.

L

Ladislaus *m* (Slavisch) Gelatiniseerde vorm van een van oorsprong Slavische naam die "(door) heersen (vol) roem" betekent. De Slavische vorm is **Vladislav**.

Laetitia *v* Latijnse naam die "vreugde" betekent.

Laila *v* Zie Leila.

Lajos *m* (Hongaars) Zie Lodewijk.

Lale *v* (Scandinavisch) Vrouwelijke vorm afgeleid van Laurentius.

Lambert *m* Samenstelling van de Germaanse stamvormen *land* (land) en *berht* (schitterend). Betekenis: "schitterend in het land".

Lamme *m* Zie Giliam.

Lammert *m* Zie Lambert.

Lammie *v* Vrouwelijke vorm afgeleid van Lambert.

Lamy *m/v* Zie Lambert.

Lana *v* Vrouwelijke vorm afgeleid van Alan.

Lance *m* (Engels) Zie Lancelot.

Lancelot *m* (Engels, Frans) De naam is mogelijk ontstaan uit het Franse *l'ancelot*, dat "de kleine dienaar" betekent. Lancelot is een van de belangrijkste ridders van de Ronde Tafel uit de Keltische Arthurromans.

Landolf *m* (Duits) Samenstelling van de Germaanse stamvormen *land* (land) en *wolf* (wolf).

Lara *v* In de Romeinse mythologie was Lara een bronnimf die door Jupiter met stomheid werd geslagen omdat zij hem had verraden.

Lara *v* (Slavisch) Vrouwelijke vorm afgeleid van Laurentius.

Lard *m* Zie Elard.

Larissa *v* (Slavisch) Vrouwelijke vorm afgeleid van Laurentius.

Larry *m* (Engels) Zie Laurentius.

Lars *m* (Scandinavisch) Zie Laurentius.

Larsina *v* (Scandinavisch) Vrouwelijke vorm afgeleid van Laurentius.

Las *m* (Scandinavisch) Zie Laurentius.

Lasse *m* (Scandinavisch) Zie Laurentius.

László *m* (Hongaars) Zie Ladislaus.

Lau *m* Zie Laurentius.

Laudine *v* Combinatienaam van Laurentius en Dina.

Laura *v* Vrouwelijke vorm van Laurentius.

Lauran *m* Zie Laurentius.

Laure *v* (Frans) Zie Laura.

Laurence *v* (Frans) Zie Laurentius.

Laurencia *v* (Hongaars) Vrouwelijke vorm van Laurentius.

Laurens *m* (Scandinavisch) Zie Laurentius.

Laurense *v* (Scandinavisch) Vrouwelijke vorm van Laurentius.

Laurent *m* (Frans) Zie Laurentius.

Laurentius *m* Latijnse naam die betekent "persoon afkomstig uit Laurentum". De naam wordt ook in verband gebracht met het Latijnse *laurus* (laurier) en krijgt dan de betekenis "de met lauweren bekranste".

Lauressa *v* Vrouwelijke vorm afgeleid van Laurentius.

Lauret *m* Zie Laurentius.

Lauretta *v* (Engels, Italiaans) Vrouwelijke vorm afgeleid van Laurentius.

Laurette *v* (Frans) Vrouwelijke vorm afgeleid van Laurentius.

Lauri *m* (Scandinavisch) Zie Laurentius.

Laurian *m* Zie Laurentius.

Laurids *m* (Scandinavisch) Zie Laurentius.

Laurie *m/v* Zie Laurentius.

Laurien *v* Vrouwelijke vorm afgeleid van Laurentius.

Laurine *v* (Scandinavisch) Vrouwelijke vorm afgeleid van Laurentius.

Lavina *v* Zie Lavinia.

Lavinia *v* In de Romeinse mythologie is Lavinia de dochter van Latinus, koning van Latium. Naar haar werd de stad Lavinium genoemd.

Lavrans *m* (Scandinavisch) Zie Laurentius.

Lavrentj *m* (Slavisch) Zie Laurentius.

Lawrence *m* (Engels) Zie Laurentius.

Lázár *m* (Hongaars) Naam die is afgeleid van het Hebreeuwse *El*

'azar (God helpt). De Latijnse vorm van de naam is Lazarus.

Lea *v* Hebreeuwse naam die waarschijnlijk "wilde koe, antilope" betekent. De naam kan ook worden gezien als een vrouwelijke vorm van Leo.

Lean *m* Zie Leander of Leo.

Leander *m* Naam die is samengesteld uit de Griekse woorden *laos* (volk) en *andros* (man). Betekenis: "man van het volk". In de Griekse mythologie zwom Leander elke nacht over de Hellespont om zijn geliefde te bezoeken.

Leandra *v* Vrouwelijke vorm van Leander.

Leanette *v* Combinatienaam van Lea en Anna.

Leanne *v* Combinatienaam van Lea en Anna.

Leda *v* (Duits) In de Griekse mythologie verandert Zeus zich in een zwaan om Leda te benaderen, waarna zij twee reuzeneieren baarde waaruit Castor en Pollux voortkwamen.

Lee *m* (Engels) Zie Leonard.

Leen *m* Zie Leonard.

Leena *v* Zie Helena of Magdalena of vrouwelijke vorm afgeleid van Leonard.

Leendert *m* Zie Leonard.

Legien *v* Zie Lea of vrouwelijke vorm afgeleid van Elia.

Leida *v* Zie Aleida.

Leila *v* (Engels) De betekenis van deze van oorsprong Perzische naam is "van edele gestalte". De naam kan ook worden gezien als een verkorte vorm van Delila.

Leindert *m* Zie Leonard.

Leis *m* Zie Laurentius.

Lelia *v* De naam is waarschijnlijk ontstaan uit het Latijnse *lilia* (lelies). De lelie is het symbool van de zuiverheid.

Leliane *v* Zie Lelia.

Lemke *v* Vrouwelijke vorm afgeleid van Lambert.

Lemmy *m* Zie Lammie of Lemuel.

Lemuel *m* Hebreeuwse naam die "behorend aan God" betekent.

Len *m/v* Zie Leonard.

Lena *v* Zie Helena of Magdalena of vrouwelijke vorm afgeleid van Leonard.

Lena *v* (Slavisch) Zie Helena of Magdalena of vrouwelijke vorm afgeleid van Leonard.

Lene *v* (Duits) Zie Helena.

Lenette *v* Zie Lena.

Leni *v* (Duits) Zie Magdalena.

Lenie *v* Zie Lena.

Lenja *v* Zie Lena.

Lenka *v* (Slavisch) Zie Helena.

Lennard *m* Zie Leonard.

Lennart *m* (Scandinavisch) Zie Leonard.

Lennert *m* Zie Leonard.

Lennie *m/v* Zie Leonard.

Lenora *v* Zie Eleonora.

Lenz *m* (Duits) Verkorte vorm van Lorenz. Zie Laurentius.

Leo *m* De naam kan een korte vorm zijn van namen zoals Leonard en Leopold. Als zelfstandige naam is hij van Latijnse oorsprong en betekent hij "leeuw".

Leon *m* Naam die is afgeleid van het Griekse *leoon*, dat "leeuw" betekent. Ook **Léon** (Frans) gespeld.

Leona *v* (Engels) Vrouwelijke vorm van Leon of afgeleide vorm van Leonard.

Leonard *m* Waarschijnlijk is de naam een samenstelling van het Latijnse *leo* (leeuw) en het Germaanse *hard* (sterk, dapper). Betekenis: "sterk of dapper als een leeuw". Het eerste lid van de naam kan ook de Germaanse stam *lewa* (genadig) zijn. De betekenis luidt dan: "sterk door genade". Ook **Leonhard** of **Léonard** (Frans) geschreven.

Leonarda *v* Vrouwelijke vorm van Leonard.

Leonardo *m* (Italiaans) Zie Leonard.

Leone *m* (Italiaans) Zie Leonard of Leon.

Leonie *v* Vrouwelijke vorm van Leo. Ook **Léonie** (Frans) gespeld.

Leonoor *v* Zie Eleonora.

Leonora *v* Zie Eleonora.

Leontine *v* Vrouwelijke vorm afgeleid van Leo. Ook **Léontine** (Frans) gespeld.

Leopold *m* Samenstelling van de Germaanse stamvormen *liud* (volk, lieden) en *bald* (boud, dapper). Betekenis: "de dappere onder het volk". Verband met het Latijnse *leo* (leeuw) is onwaarschijnlijk. Ook **Léopold** (Frans) gespeld.

Leopoldo *m* (Italiaans) Zie Leopold.

Leora *v* Zie Eleonora.

Leron *m* Zie Laurentius.

Leroy *m* (Engels) Een naam die is afgeleid uit het Franse *le roi* (de koning).

Les *m* (Engels) Zie Leslie.

Lesley *m/v* (Engels) Zie Leslie.

Leslie *m/v* (Engels) Oorspronkelijk een Schotse plaatsnaam die mogelijk betekent "het hof met de hulststruiken". Later een familienaam en een voornaam.

Lester *m* (Engels) Oorspronkelijk een familienaam afgeleid van de plaatsnaam *Leicester* (uitgesproken als Lester). De betekenis van de plaatsnaam is "Romeins legerkamp (in het gebied) van het volk dat aan de rivier de Legra woont".

Letitia *v* Zie Laetitia.

Lettie *v* Zie Laetitia.

Letty *v* (Engels) Zie Laetitia, Violette of Adelheid.

Levi *m* Hebreeuwse naam die "aanhankelijkheid" betekent. Levi was de stamvader van de Levieten.

Levie *m* Zie Levi.

Levin *m* Zie Lieven.

Levina *v* Zie Lieven of Lavinia.

Levon *m* (Engels) Fantasienaam in gebruik onder mormonen in de V.S.

Levonne *v* Vrouwelijke vorm van Levon.

Levy *m* (Engels) Zie Levi.

Lex *m* Zie Alexander.

Lia *v* Zie Amalia, Cornelia of Julia.

Liam *m* (Engels) Zie Wilhelm.

Lian *v* Zie Juliana. Of combinatienaam van Lia en Anna.

Liana *v* Zie Juliana. Of combinatienaam van Lia en Anna.

Lianda *v* Zie Juliana. Of combinatienaam van Lia en Anna.

Liane *v* Zie Juliana.

Lichelle *v* Combinatienaam van Lia en Michelle.

Lida *v* Zie Adelheid of Ludmilla.

Liddy *v* (Engels) Zie Lydia of Adelheid.

Lidian *v* Zie Lydia. Of combinatienaam van Lydia en Anna.

Lidwina *v* Zie Lidwine.

Lidwine *v* Samenstelling van de Germaanse stamvormen *liud* (volk, lieden) en *win* (vriend). Betekenis: "vriend van het volk".

Lidy *v* Zie Lydia of Lidwine.

Lie *v* Vrouwelijke vorm afgeleid van Aemilius.

Liek *v* Zie Angelica.

Lieke *v* Zie Juliana of Angélique.

Lien *v* Zie Lina.

Lies *v* Zie Elisabeth.

Liesbet *v* Ook **Liesbeth** gespeld. Zie Elisabeth.

Liesel *v* (Duits) Zie Elisabeth.

Lieselore *v* Combinatienaam van Elisabeth en Eleonora.

Lieselotte *v* Combinatienaam van Elisabeth en Charlotte.

Liet *m* Verkorte vorm van de Vlaamse naam Hippoliet, die is afgeleid van de Griekse naam Hippolytus. Zie aldaar.

Lieve *v* Vrouwelijke vorm afgeleid van Godlef.

Lieveke *v* Vrouwelijke vorm afgeleid van Godlef.

Lieven *m* Samenstelling van de Germaanse stamvormen *liub* (lief) en *win* (vriend). Betekenis: "geliefde vriend".

Liezebet *v* Zie Elisabeth.

Lika *v* Zie Angelica.

Lili *v* (Duits, Engels) Zie Elisabeth.

Lilia *v* Vrouwelijke vorm afgeleid van Caecilius.

Lilian *v* (Engels) Zie Liliana. Of combinatienaam van Lili en Anna.

Liliana *v* (Italiaans) Naam die is afgeleid van het Latijnse *lilium* (lelie). De lelie is het symbool van de zuiverheid.

Liliane *v* Zie Liliana of Lilian.

Lilith *v* Een in de bijbel voorko-mende naam voor een vrouwelijke demon. De naam houdt oorspronke-lijk verband met het Sumerische *lilla* (geest, spook).

Lily *v* (Engels) Zie Elisabeth.

Lina *v* Zie Angela, Carolina of Paulina.

Lincoln *m* (Engels) Oorspronkelijk een plaatsnaam, later een familie-naam en onder invloed van de Amerikaanse president Abraham Lincoln (1809-1865) ook als voor-naam in gebruik gekomen.

Lincy *v* Zie Lindsay.

Linda *v* Zie Linde.

Linday *v* (Engels) Zie Linda.

Linde *v* Verkorte vorm van namen met de Germaanse stam *lind* (schild van lindehout of slang).

Lindert *m* Zie Leendert.

Lindi *v* Zie Linde.

Lindsay *m/v* (Engels) Oorspronke-lijk een plaatsnaam met de beteke-nis "eiland in Lindon" (Lindon was de oude naam voor Lincoln).

Line *v* Zie Lina.

Lineke *v* Verkorte vorm van Line of Lina. Zie Lina.

Linette *v* Zie Lina.

Linsey *v* (Engels) Vrouwelijke vorm afgeleid van Lincoln.

Lioba *v* Verkorte vorm van namen samengesteld met de Germaanse stam *liub* (lief).

Lion *m* Zie Leo of Leon.

Liona *v* Vrouwelijke vorm afgeleid van Leo of Leon.

Lionardo *m* (Italiaans) Zie Leonard.

Lionel *m* (Engels) Naam die is afgeleid van het Latijnse *leonellus* (kleine leeuw).

Lippo *m* (Italiaans) Zie Philip.

Lisa *v* Zie Elisabeth.

Lisabeth *v* Zie Elisabeth.

Lisanne *v* Combinatienaam van Elisabeth en Anna.

Lisbet *v* Zie Elisabeth.

Lise *v* Zie Elisabeth.

Liselore *v* Zie Lieselore.

Liselot *v* Combinatienaam van Elisabeth en Charlotte. Ook **Liselotte** gespeld.

Lisen *v* Zie Elisabeth.

Lisenka *v* (Slavisch) Zie Elisabeth.

Liset *v* Zie Elisabeth.

Lisette *v* (Frans) Zie Elisabeth.

Lissy *v* (Engels) Zie Elisabeth.

Lita *v* Zie Lolita.

Litse *m* (Fries) Koosnaam afgeleid van verkorte namen met de Germaanse stam *liud* (volk, lieden).

Liv *v* (Scandinavisch) Oorspronkelijk waarschijnlijk afgeleid van het Oudnoorse *hlíf* (afweer, bescherming). Tegenwoordig krijgt de naam de betekenis van "leven", naar het Zweedse woord *liv* dat "leven" betekent.

Livia *v* Vrouwelijke vorm van de Romeinse familienaam *Livius*, waarvan de betekenis onbekend is.

Liza *v* (Engels) Zie Elisabeth.

Lizanne *v* Combinatienaam van Elisabeth en Anna.

Lizzy *v* Zie Elisabeth.

Lloyd *m* (Keltisch) In het Wels betekent de naam letterlijk "de grijze".

Lode *m* Zie Lodewijk.

Lodewijk *m* Mogelijk een samenstelling van de Germaanse stamvormen *hlûth* (luid, beroemd) en *wîg* (strijd). Betekenis: "roemvolle strijder". Het eerste lid kan echter ook *hlôdh* (buit) zijn. De betekenis is dan "strijder om een buit".

Loek *m* Zie Lodewijk.

Loes *v* Vrouwelijke vorm afgeleid van Louis.

Lola *v* (Spaans) Zie Dolores.

Lolita *v* (Spaans) Zie Dolores.

Lonieke *v* Vrouwelijke vorm afgeleid van Apollonius.

Lora *v* (Duits) Zie Eleonora.

Loraine *v* Zie Lorraine.

Loran *v* Zie Lorraine of vrouwelijke vorm van Laurentius.

Loranna *v* Zie Lorraine of vrouwelijke vorm van Laurentius.

Lorena *v* (Engels) Vrouwelijke vorm afgeleid van Laurentius.

Lorenz *m* (Duits) Zie Laurentius.

Lorenza *v* (Italiaans) Vrouwelijke vorm afgeleid van Laurentius.

Lorenzo *m* (Italiaans) Zie Laurentius.

Loreto *m* (Italiaans) Oorspronkelijk de naam van een bedevaartplaats bij Ancona (Italië). De plaatsnaam is afgeleid van het Latijnse *lauretanum* en betekent "laurierbos".

Loretta *v* Zie Laurette of vrouwelijke vorm van Loreto.

Lörinc *m* (Hongaars) Zie Laurentius.

Loris *m* (Zwitsers) Zie Laurentius.

Lorraine *v* (Frans) Oorspronkelijk de Franse naam voor Lotharingen.

Lotje *v* Zie Charlotte.

Lotta *v* Zie Charlotte.

Lotte *v* Zie Charlotte.

Lou *m* Zie Lau of Lodewijk.

Louanne *v* (Engels) Combinatie-naam van Louise en Anna.

Loudi *v* Vrouwelijke vorm afgeleid van Lodewijk.

Louis *m* (Frans) Verkorte vorm van *Hlodovicus*, de gelatiniseerde vorm van Lodewijk. Louis kan ook een verkorte vorm zijn van Aloisius (zie Alois).

Louisa *v* Vrouwelijke vorm van Louis.

Louise *v* (Frans) Vrouwelijke vorm afgeleid van Lodewijk.

Louk *m* Zie Lodewijk.

Loulou *v* (Frans) Vrouwelijke vorm afgeleid van Lodewijk.

Loura *v* Vrouwelijke vorm afgeleid van Laurentius.

Lourens *m* Zie Laurentius.

Loy *m* Zie Lodewijk.

Luan *v* (Engels) Combinatienaam van Louise en Anna.

Lubbe *m* Verkorte vorm van namen met de Germaanse stam *liub* (lief). Of van namen met de Germaanse stam *liud* (volk, lieden) en een twee-de stam die met b- begint, zoals Lubbert.

Lubbert *m* Dit is een samenstelling van de Germaanse stamvormen *liud* (volk, lieden) en *berht* (schitterend). Betekenis: "schitterend onder het volk".

Lubette *v* Vrouwelijke vorm afge-leid van Lubbe of Lubbert.

Lubke *v* (Fries) Vrouwelijke vorm van Lubbe.

Luc *m* Zie Lucas.

Luca *v* Vrouwelijke vorm van Lucas.

Lucas *m* De naam kan een korte vorm van de Latijnse naam *Lucanus* zijn en betekent dan "persoon afkomstig uit Lucani". Hij kan ook een Griekse variant zijn van de naam Lucius (zie aldaar).

Luce *v* (Frans) Vrouwelijke vorm van Luc.

Lucette *v* (Engels, Frans) Vrouwelij-ke vorm afgeleid van Lucius.

Lucia *v* Vrouwelijke vorm van Luci-us.

Lucian *m* Zie Lucianus.

Lucianna *v* Combinatienaam,

samengesteld uit Lucia en Anna.

Lucianus *m* Naam afgeleid van het Latijnse *lux*, dat "licht" betekent.

Lucie *v* Vrouwelijke vorm van Lucius.

Lucien *m* (Frans) Mannelijke vorm afgeleid van Lucius.

Lucienne *v* (Frans) Vrouwelijke vorm afgeleid van Lucius.

Lucilla *v* Vrouwelijke vorm afgeleid van Lucius.

Lucinda *v* Vrouwelijke vorm afgeleid van Lucius.

Lucio *m* (Italiaans) Zie Lucius.

Lucius *m* Naam die is afgeleid van het Latijnse *lux*, dat "licht" betekent.

Lucky *m/v* (Engels) De naam betekent letterlijk "gelukkig".

Luco *m* Zie Luke.

Lucretia *v* Vrouwelijke vorm van **Lucretius**, de naam van een Oudromeins geslacht. De naam wordt in verband gebracht met het Latijnse *lucrum* (winst, voordeel). De uitdrukking "een Lucretia" betekent "een kuise vrouw".

Lucy *v* (Engels) Vrouwelijke vorm afgeleid van Lucius.

Lude *m* (Fries) Koosnaam afgeleid van namen met de Germaanse stam *liud* (volk, lieden).

Ludgard *v* Zie Lutgard.

Ludger *m* Samenstelling van de Germaanse stamvormen *liud* (volk, lieden) en *gêr* (speer). Betekenis:

"speerstrijder van het volk".

Ludmilla *v* (Slavisch) Betekent "geliefd door het volk".

Ludo *m* Zie Lodewijk.

Ludolf *m* Samenstelling van de Germaanse stamvormen *liud* (volk, lieden) en *wolf* (wolf).

Ludona *v* Vrouwelijke vorm afgeleid van Lodewijk.

Ludovic *m* Zie Lodewijk.

Ludowika *v* (Slavisch) Vrouwelijke vorm afgeleid van Lodewijk.

Ludviga *v* (Slavisch) Vrouwelijke vorm afgeleid van Lodewijk.

Ludwig *m* (Duits) Zie Lodewijk.

Ludwika *v* (Slavisch) Vrouwelijke vorm afgeleid van Lodewijk.

Luglio *m* (Italiaans) Zie Julius.

Luigi *m* (Italiaans) Zie Lodewijk.

Luis *m* (Spaans) Zie Lodewijk.

Lukas *m* Zie Lucas.

Lukasz *m* (Slavisch) Zie Lucius.

Luke *m* Zie Lude of Lucas.

Lukja *m* (Slavisch) Zie Lucius.

Lulu *v* (Engels) Zie Loulou.

Lundert *m* Zie Leendert.

Lusanne *v* Zie Lisanne.

Lut *v* Zie Lutgard.

Lutgard(e) *v* Samenstelling van de Germaanse stamvormen *liud* (volk, lieden) en *gard* (omheinde en dus beschermde ruimte). Ook **Ludgard(e)** gespeld.

Lutger *m* Zie Ludger.

Luther *m* Samenstelling van de Ger-

maanse stamvormen *liud* (volk, lieden) en *heri* (leger). Betekenis:
"volksleger". Maarten Luther (1483-
1546) was de grondlegger van het
Duitse protestantisme.

Luuk *m* Zie Lucas.

Luut *m* Zie Lude.

Lyan *v* Zie Juliana.

Lydia *v* Bijbelse naam met als betekenis "vrouw afkomstig uit Lydië".
Ook **Lydie** gespeld.

Lynn *v* (Engels) Zie Linda.

Lysanna *v* Zie Lisanne.

M

Maaike *v* (Fries) Zie Maria.

Maan *m/v* Zie Immanuel.

Maaren *m* (Scandinavisch) Mannelijke afgeleide vorm van Maria.

Maarten *m* Zie Martinus.

Maartine *v* Zie Martha of vrouwelijke vorm afgeleid van Martinus.

Maartje *v* Zie Martha of vrouwelijke vorm afgeleid van Martinus.

Maas *m* Zie Thomas.

Maayke *v* Zie Maria.

Mabel *v* (Engels) Zie Amabilis.

Mabelia *v* Zie Amabilis.

Mabella *v* Zie Amabilis.

Macha *v* Zie Magdalena.

Machael *m* Zie Michael.

Machelien *v* Zie Magdalena.

Machias *m* Zie Michael.

Machiel *m* Zie Michael.

Machlon *m* Zie Michael.

Machteld *v* (Fries) Zie Mathilde.

Mack *m* (Engels) Zie Michael.

Maddalena *v* (Italiaans) Zie Magdalena.

Maddy *v* Zie Magdalena.

Madel *v* (Scandinavisch) Zie Magdalena.

Madelan *v* Zie Madelon. Of combinatienaam van Madeleine en Anna.

Madeleen *v* Zie Magdalena.

Madeleine *v* (Frans) Zie Magdalena.

Madelena *v* (Italiaans, Spaans) Zie Magdalena.

Madelina *v* (Slavisch) Zie Magdalena. Wordt vaak ook gespeld als

Madeline (Engels).

Madelon *v* (Frans) Zie Magdalena.

Madina *v* (Duits) Zie Magdalena.

Madlenka *v* (Slavisch) Zie Magdalena.

Madonna *v* (Italiaans) Naam afgeleid van het Italiaanse *mia donna* en het Latijnse *mea domina*. De naam betekent "mijn vrouw", bedoeld wordt: "mijn vrouwe Maria".

Maerten *m* Zie Martinus.

Mafalda *v* (Italiaans) Zie Mathilde.

Magali *v* (Frans) Zie Magdalena.

Magda *v* Zie Magdalena.

Magdaleen *v* Zie Magdalena.

Magdalena *v* Hebreeuwse naam die oorspronkelijk betekende "Maria uit Magdala", een plaats aan het meer van Gennesaret. De naam van dit meer is afgeleid van het Aramese *medgdala*, dat "toren" betekent.

Magdaline *v* Zie Magdalena.

Magdelina *v* (Slavisch) Zie Magdalena.

Magdelone *v* (Scandinavisch) Zie Magdalena.

Magdolna *v* (Hongaars) Zie Magdalena.

Mage *v* Verkorte vorm van namen met de Germaanse stam *magan* (kunnen).

Maggie *v* (Schots) Zie Margaretha.

Magli *v* (Scandinavisch) Zie Magdalena.

Magreta *v* Zie Margaretha.

Mahalia *v* Hebreeuwse naam met als betekenis "tederheid".

Maichail *m* Zie Michael.

Maico *m* (Fries) Zie Meinhard.

Maika *v* (Slavisch) Zie Maria.

Maikel *m* Zie Michael.

Maino *m* Zie Meine.

Maire *v* (Iers) Zie Maria.

Maj *v* (Scandinavisch) Zie Maria, Margit of Majlen.

Maja *v* De naam kan afgeleid zijn van Marja, maar is ook een zelfstandige naam. In de Romeinse mythologie is Maia de godin van de groei naar wie de maand mei is vernoemd. In de Indische mythologie kent men de godin Maya.

Majlen *v* (Scandinavisch) Zie Magdalena.

Mala *v* (Duits) Zie Amalia.

Malchen *v* (Duits) Zie Amalia.

Malene *v* (Scandinavisch) Zie Magdalena.

Malenka *v* (Slavisch) Zie Melania.

Mali *v* (Duits) Zie Amalia.

Malin *v* (Scandinavisch) Zie Magdalena.

Malinda *v* (Engels) Zie Melinda.

Malissa *v* Zie Melissa.

Malon *v* (Frans) Zie Magdalena.

Malou *v* (Portugees, Spaans) Zie Maria of Louise.

Malu *v* (Portugees, Spaans) Zie Maria of Louise.

Mana *v* Vrouwelijke vorm afgeleid van Herman of Immanuel.

Mand *m/v* Zie Armand of Amandus.

Manda *v* (Duits) Vrouwelijke vorm afgeleid van Amandus.

Mandisa *v* Vrouwelijke vorm afgeleid van Amandus.

Mandus *m* Zie Armand of Amandus.

Mandy *v* (Engels) Vrouwelijke vorm afgeleid van Amandus.

Mane *m/v* Zie Immanuel.

Manel *m/v* Zie Immanuel of Maria.

Manfred *m* Samenstelling van de Germaanse stamvormen *man* (man, mens) en *fred* (vrede, bescherming). Betekenis: "beschermer van de mensen".

Manique *v* Zie Monica.

Manja *v* (Slavisch) Zie Maria.

Manjek *m* (Slavisch) Zie Marcus.

Mano *m* (Italiaans, Slavisch) Zie Immanuel.

Manoe *v* Vrouwelijke vorm afgeleid van Immanuel.

Manoil *m* (Roemeens) Zie Emanuel.

Manolda *v* Vrouwelijke vorm afgeleid van Meinhold.

Manolito *m* (Italiaans) Zie Immanuel.

Manolo *m* (Spaans) Zie Emanuel.

Manon *v* (Frans) Zie Maria.

Manou *v* Vrouwelijke vorm afgeleid van Immanuel.

Manouk *v* Vrouwelijke vorm afgeleid van Immanuel.

Mans *m* Koosnaam afgeleid van
namen met de Germaanse stam *man*
(man, mens).

Mante *m* (Fries) Waarschijnlijk afgeleid van namen met de Germaanse
stam *man* (man, mens) of een koosnaam van Armand.

Manten *m* Zie Armand.

Manu *m/v* Verkorte vorm van
Immanuel.

Manuel *m* (Spaans) Zie Immanuel.

Manuela *v* (Spaans) Vrouwelijke
vorm afgeleid van Immanuel.

Manuele *m* (Italiaans) Zie Emanuel.

Manuil *m* (Slavisch) Zie Emanuel.

Manus *m* Zie Herman of Romanus.

Mara *v* Naam afgeleid van het
Hebreeuwse *mârâh*, dat "bitter,
bedroefd" betekent.

Mara *v* (Hongaars, Slavisch) Zie
Maria.

Maranatha *v* Hebreeuwse naam die
"onze Heer komt" betekent.

Marandy *v* Zie Maranatha.

Marc *m* (Frans) Zie Marcus.

Marcel *m* (ook Frans) Zie Marcellus.

Marcela *v* Vrouwelijke vorm van
Marcellus.

Marcelia *v* Vrouwelijke vorm van
Marcellus.

Marcelien *v* Vrouwelijke vorm van
Marcellus.

Marcella *v* Vrouwelijke vorm van
Marcellus.

Marcelle *v* (Frans) Vrouwelijke
vorm van Marcellus.

Marcello *m* (Italiaans) Zie Marcellus.

Marcellus *m* Romeinse familienaam
die eigenlijk een koosnaam van
Marcus is, met als betekenis "de
kleine krijgshaftige".

Marcelo *m* Zie Marcellus.

Marcha *m* (Slavisch) Zie Marcus.

Marcha *v* Zie Margaretha of vrouwelijke vorm van Marcus.

Marcia *v* Vrouwelijke vorm van
Marcus.

Marcin *m* (Slavisch) Zie Martinus.

Marck *m* Zie Marcus.

Marco *m* (Italiaans) Zie Marcus.

Marcos *m* (Spaans) Zie Marcus.

Marcus *m* Latijnse naam die waarschijnlijk verband houdt met de
Romeinse oorlogsgod Mars en dus
wijst op krijgshaftigheid.

Marei *v* (Duits) Zie Maria.

Marek *m* (Slavisch) Zie Marcus.

Marelle *v* Zie Maria.

Maren *v* (Scandinavisch) Zie Maria.

Marfa *v* (Slavisch) Zie Martha.

Marga *v* Zie Margaretha.

Margaret *v* (Engels) Zie Margaretha.

Margarete *v* (Duits) Zie Margaretha.

Margaretha *v* Ook **Margareta**

gespeld. In het Hebreeuws betekent *margaron* "parel", in het Grieks betekent *margaritès* eveneens "parel", maar de oorsprong van de naam moet waarschijnlijk worden gezocht in het Babylonische *mâr galliti*, dat "dochter van de zee" of "kind van het licht" betekent.

Margarita *v* (Slavisch, Spaans) Zie Margaretha.

Margaux *v* (Frans) Zie Margaretha.

Margherita *v* (Italiaans) Zie Margaretha.

Margit *v* (Hongaars, Scandinavisch) Zie Margaretha.

Margita *v* (Hongaars) Zie Margaretha.

Margo *v* (Slavisch) Zie Margaretha.

Margot *v* (Frans) Zie Margaretha.

Margreet *v* Zie Margaretha.

Margriet *v* Zie Margaretha.

Marguerite *v* (Frans) Zie Margaretha.

Margy *v* (Engels) Zie Margaretha.

Mari *v* (Hongaars) Zie Maria.

Maria *v* Van deze zeer verspreide naam is de betekenis onzeker. De oudste vorm van deze naam, Miriam, is terug te vinden in het Oude Testament. In de Griekse versie van het Nieuwe Testament werd Maria Mariam genoemd. Mogelijk is de naam ontstaan uit het Hebreeuwse *mârâh*, dat "bitter, bedroefd" betekent. In de Middeleeuwen werd een verband gemaakt met het Latijnse *mare* (zee). Vergelijk met *Stella Maris*, "ster van de zee", een van de bijnamen van Maria.

Mariam *v* Zie Maria.

Marian *v* Zie Marianne.

Mariandel *v* (Duits) Zie Marianne.

Marianka *v* (Slavisch) Zie Maria.

Marianne *v* (Frans) Combinatienaam van Maria en Anna.

Maric *m* (Slavisch) Zie Marcus.

Marica *v* (Spaans) Zie Maria.

Marida *v* Combinatienaam van Maria en Ida.

Marie *v* (Frans) Zie Maria.

Marie-Claire *v* (Frans) Combinatienaam van Maria en Clara.

Marieka *v* (Hongaars) Zie Maria.

Marieke *v* Zie Maria.

Mariel *v* Zie Maria.

Marie-Laure *v* (Frans) Combinatienaam van Maria en Laura.

Marieli *v* Zie Maria.

Mariella *v* (Italiaans) Zie Maria.

Marielle *v* (Frans) Zie Maria.

Marie-Louise *v* (Frans) Combinatienaam van Maria en Louise.

Marielouise *v* Combinatienaam van Maria en Louise.

Marien *m* Zie Marinus.

Mariena *v* Vrouwelijke vorm afgeleid van Marinus.

Marie-Rose *v* Combinatienaam van Maria en Rosa.

Mariet *v* Zie Margaretha.

Marieta *v* Zie Margaretha.

Marietta *v* (Italiaans, Frans) Zie Maria.

Mariette *v* (Italiaans, Frans) Zie Maria.

Marig *v* Zie Margaretha.

Marihuela *v* (Spaans) Zie Maria.

Marija *v* (Slavisch) Zie Maria.

Marije *v* (Fries) Zie Maria.

Marijke *v* Zie Maria.

Marijn *m/v* Zie Marinus.

Marijse *v* Zie Maria of Marie-Louise.

Marike *v* (Duits) Zie Maria.

Mariken *v* Zie Maria.

Mariko *v* Zie Maria.

Marilee *v* (Engels) Combinatienaam van Maria en Lisa.

Marileen *v* Combinatienaam van Maria en Helena.

Marilisa *v* Combinatienaam van Maria en Lisa.

Marilva *v* Zie Marilyn.

Marilyn *v* (Engels) Naam die is samengesteld uit Mary (zie Maria) en het vaak gebruikte achtervoegsel -lyn.

Marin *v* Vrouwelijke vorm afgeleid van Marinus.

Marina *v* (Italiaans) Zie Maria of vrouwelijke vorm afgeleid van Marinus.

Marinda *v* Vrouwelijke vorm afgeleid van Marinus.

Marinelle *v* (Italiaans) Zie Maria of vrouwelijke vorm afgeleid van Marinus.

Marinette *v* (Frans) Zie Maria of vrouwelijke vorm afgeleid van Marinus.

Marinka *v* (Slavisch) Zie Maria.

Marinko *m* Zie Marinka.

Marino *m* (Italiaans) Zie Marinus.

Marinus *m* Latijnse naam die "van de zee" betekent.

Mario *m* (Italiaans) Zie Marius.

Mariola *v* Vrouwelijke vorm afgeleid van Marius.

Marion *v* (Frans) Zie Maria.

Marios *m* Zie Marius.

Mariose *v* Combinatienaam van Maria en Jozef.

Maris *m* (Spaans) Zie Marius.

Maris *v* (Hongaars) Zie Maria.

Marise *v* (Italiaans) Combinatienaam van Maria en Elisabeth.

Mariska *v* (Hongaars) Zie Maria.

Marissa *v* Zie Marise.

Marit *v* (Scandinavisch) Zie Margaretha.

Marita *v* (Italiaans) Zie Maria.

Marite *v* Zie Marit of Maria.

Maritte *v* (Scandinavisch) Zie Margaretha.

Marius *m* Naam die waarschijnlijk is afgeleid van het Latijnse *mas*, genitief *maris*, en die "de mannelijke" betekent. Minder waarschijnlijk is de afleiding van het Latijnse woord *mare* (zee).

Marja *v* (Slavisch) Zie Maria.

Marjam *v* Zie Maria.

Marjan *v* Zie Marianne.

Marjella *v* Zie Maria. Of combinatienaam van Maria en Gelle.

Marjenka *v* (Slavisch) Zie Maria.

Marjenke *v* Zie Maria.

Marjet *v* Zie Maria.

Marjetta *v* Zie Maria.

Marjolaine *v* (Frans) Zie Maria.

Marjolein *v* Zie Maria. Ook **Marjoleine** of **Marjolijne** gespeld.

Marjolien *v* Combinatienaam van Maria en Angelina, Carolina of Paulina.

Marjorie *v* (Keltisch, Frans) Zie Margaretha.

Marjory *v* (Keltisch) Zie Margaretha.

Mark *m* Zie Marcus.

Marka *v* (Hongaars) Zie Maria.

Marko *m* Zie Marco.

Marla *v* Combinatienaam van Maria en Carla.

Marleen *v* Zie Marlene.

Marleine *v* Zie Marlene of Marjoleine.

Marlene *v* Combinatienaam van Maria en Magdalena. Ook **Marlène** (Frans) gespeld.

Marlie *v* Zie Marlene.

Marlies *v* Combinatienaam van Marie en Louise of Elisabeth.

Marlin *m* Zie Merlijn of Marlyn.

Marlinda *v* Combinatienaam van Maria en Linda. Zie aldaar.

Marlo *m* (Engels) De naam is waarschijnlijk van Latijnse oorsprong, met als betekenis "merel".

Marloes *v* Combinatienaam van Maria en Louise.

Marlon *m/v* (Engels) Zie Marlo.

Marlot *v* Combinatienaam van Maria en Charlotte.

Marlotte *v* Combinatienaam van Maria en Charlotte.

Marlyn *v* Zie Marilyn.

Marnel *v* Combinatienaam van Maria en Cornelia, Helena of Petronella.

Marnix *m* Vlaamse naam die oorspronkelijk de naam van een geslacht in Savoy was. Hij betekent "mergel".

Maro *m* (Spaans) Zie Marius.

Marre *v* Zie Maria of Martha.

Marret *v* Zie Margaretha of Maria.

Marrit *v* Zie Margaretha of Maria.

Marry *v* Zie Maria.

Marsha *v* Vrouwelijke vorm afgeleid van Marcus.

Mart *m* Zie Martinus.

Martan *m* Zie Martinus.

Marte *v* (Fries) Zie Martha of vrouwelijke vorm afgeleid van Martinus.

Marten *m* (Scandinavisch) Zie Martinus.

Martha *v* Aramese naam met als betekenis "meesteres, heerseres".

Marthe *v* (Frans) Zie Martha.

Martien *m* Zie Martinus.

Martijn *m* Zie Martinus.

Martin *m* (Engels, Frans) Zie Martinus.

Martina *v* Vrouwelijke vorm van Martinus.

Martine *v* (Frans) Vrouwelijke vorm van Martinus.

Martino *m* (Italiaans, Spaans) Zie Martinus.

Martinus *m* Verkleinvorm van de Latijnse naam Martius, met als betekenis "de kleine krijgshaftige".

Mártoni *m* (Hongaars) Zie Martinus.

Martzen *m* (Fries) Zie Martinus.

Marvat *m* (Arabisch) Deze naam betekent: "de kwaadaardige".

Marvel *m* (Engels) Zie Marvin.

Marvin *m* (Engels) De naam kan een variant zijn van Mervin. Hij kan echter ook zijn afgeleid van het Oudengelse *maerwine*, dat "beroemde vriend" betekent.

Marwin *m* Zie Marvin.

Marx *m* (Duits) Zie Marcus.

Mary *v* (Engels) Zie Maria.

Marya *v* (Slavisch) Zie Maria.

Maryn *m/v* Zie Marijn.

Maryse *v* (Frans) Zie Marise.

Mascha *v* (Slavisch) Zie Maria.

Maschinka *v* (Slavisch) Zie Maria.

Masha *v* (Slavisch) Zie Maria.

Masira *v* Vrouwelijke vorm afgeleid van Thomas.

Maske *v* Vrouwelijke vorm afgeleid van Marius.

Matan *m/v* Zie Mattanja.

Mateo *m* (Spaans) Zie Mattheus.

Mathew *m* (Engels) Zie Mattheus.

Mathias *m* Zie Matthias.

Mathieu *m* (Frans) Zie Mattheus.

Mathijs *m* Zie Matthias.

Mathilde *v* Samenstelling van de Germaanse stamvormen *maht* (macht) en *hild* (strijd). Betekenis: "machtige strijdster".

Mathyn *m* Zie Martinus of Matthias.

Matkel *m* Combinatienaam van Matthias en Michael.

Mats *m* (Scandinavisch) Zie Matthias.

Matt *m* (Engels) Zie Mattheus.

Mattanja *v* Hebreeuwse naam die "geschenk van de Heer" betekent. Oorspronkelijk was dit een mannennaam uit het Oude Testament.

Matteo *m* (Italiaans) Zie Mattheus.

Mattes *m* (Duits) Zie Matthias.

Mattheus *m* Naam die is afgeleid van het Griekse *matthaios*, dat op zijn beurt van het Hebreeuwse *mattanjâ* komt en "geschenk van de Heer" betekent.

Matthew *m* (Engels) Zie Mattheus.

Matthias *m* Naam die op dezelfde manier is ontstaan als Mattheus en dezelfde betekenis heeft.

Matthieuw *m* Zie Matthew.

Matti *m* (Duits) Zie Matthias.

Mattie *v* Zie Mathilde, Martha of Margaretha.

Mattina *v* Zie Mattie.

Maty *v* (Engels) Zie Mathilde of Martha.

Maud *v* (Engels, Frans) Zie Mathilde.

Maup *m* Zie Maurits.

Maureen *v* (Engels) Zie Maria.

Maurice *m* (Engels, Frans) Zie Mauritius.

Mauricio *m* (Italiaans) Zie Mauritius. Ook **Mauritio** gespeld.

Maurien *v* Zie Maurinus of Maureen.

Maurijn *m* Zie Maurinus.

Maurinus *m* Naam die is afgeleid van het Latijnse *maurus*, dat "de moor" of "bewoner van Mauretanië" betekent.

Mauritius *m* Naam met dezelfde oorsprong en betekenis als Maurinus.

Maurits *m* Zie Mauritius.

Mauro *m* Zie Mauritius.

Maury *m/v* Zie Maurinus.

Max *m* Zie Maximiliaan.

Maxim *m* Zie Maximiliaan.

Maxime *m* (Frans) Zie Maximiliaan.

Maximiliaan *m* Naam die is afgeleid van het Latijnse *maximilius*, een verkleinvorm van *maximus*, dat "de grootste" betekent. Succesvolle legeraanvoerders kregen als beloning de Latijnse eretitel Maximus.

Maximilian *m* (Engels) Zie Maximiliaan.

Maximilien *m* (Frans) Zie Maximiliaan.

Maximilienne *v* (Frans) Vrouwelijke vorm van Maximilien.

Maxine *v* Vrouwelijke vorm afgeleid van Maximiliaan.

May *v* (Engels) Zie Maria of Margaretha.

Maya *v* Zie Maja.

Mayon *v* Zie Maria.

Mayra *v* (Keltisch) Zie Maria.

Mea *v* Vrouwelijke vorm afgeleid van Herman.

Mechiel *m* Zie Michael.

Mechteld *v* (Fries) Zie Mathilde.

Meen *v* Zie Filomeen.

Meenard *m* Zie Meinhard.

Megan *v* (Keltisch) Zie Margaretha.

Meggie *v* (Engels) Zie Margaretha.

Megin *m* Germaanse naam die "kracht, macht" betekent. In de Germaanse mythologie was Megin de zoon van Thor en de reuzin Jarnsaxa.

Meine *m* (Fries) Verkorte vorm van namen met de Germaanse stam *megin* (kracht, macht).

Meinhard *m* Samenstelling van de Germaanse stamvormen *megin* (macht, kracht) en *hard* (sterk, dapper). Betekenis: "sterk in kracht".

Meinhold *m* Samenstelling van de

Germaanse stamvormen *megin*
(kracht, macht) en *wald* (heersen).
Betekenis: "machtige heerser".
Meinke *v* (Fries) Vrouwelijke vorm
van Meine.
Mela *v* (Italiaans, Slavisch, Spaans)
Zie Melania of Melissa.
Melana *v* (Slavisch) Zie Melania.
Melania *v* Naam die is afgeleid van
het Griekse *melas* of *melaina* (zwart,
donker van kleur). De Griekse
godin Demeter werd ook Melaina
genoemd omdat ze treurde over
haar dochter Persephone die door
Pluto naar de onderwereld was
gevoerd.
Melanie *v* Zie Melania. Ook **Méla-
nie** (Frans) gespeld.
Melati *v* Indonesische naam, ook
Melatie of **Melattie** gespeld. Melati
is de naam van een jasmijnsoort.
Melcher *m* Verkorte vorm van de
Hebreeuwse naam **Melchior**, die
letterlijk "de koning is licht" betekent. Melchior was een van de Drie
Wijzen uit het Oosten.
Mele *v* Zie Amalia.
Melina *v* De naam kan een afleiding zijn van het Griekse *melinos*
(van essenhout) of van het Latijnse
melina (afkomstig van het eiland
Melos). De naam kan ook een
variant zijn van namen als Emmeline, Merlina of Melinda.
Melinda *v* Waarschijnlijk een fanta-

sienaam die is afgeleid van het
Latijnse *mel* (honing).
Melissa *v* Griekse naam die
"honingbij" betekent. In de Griekse
mythologie is Melissa een nimf die
Zeus met geitenmelk had gevoed en
de mensen het gebruik van honing
had geleerd.
Melle *m* (Fries) Zie Aemilius.
Mellis *m* Zie Aemilius.
Melodie *v* Naam afgeleid van het
Griekse *melooidia*, dat "lied, melo-
die" betekent.
Melody *v* (Engels) Zie Melodie.
Melonie *v* Zie Melania.
Melvin *m* Samenstelling van de
Germaanse stamvormen *mathla*
(gerechtsplaats, vergadering) en *win*
(vriend).
Mendel *m* Zie Immanuel.
Mendy *v* Zie Mandy.
Menne *m* (Fries) Zie Meine.
Menno *m* (Fries) Zie Meine.
Mensje *v* (Fries) Vrouwelijke vorm
afgeleid van Meine.
Menso *m* (Fries) Zie Meine.
Menthe *v* Vrouwelijke vorm afge-
leid van Clemens.
Meral *v* Zie Merel.
Mercedes *v* (Spaans) In plaats van
de naam Maria worden in Spanje
vaak bijnamen gebruikt. Mercedes is
daar één van. Het Spaanse *merced*
betekent "genade, loon, gunst". Ook
Mercédès (Frans) gespeld.

Mercy *v* Zie Mercedes.

Meredith *v* (Keltisch) Samenstelling van de Welse woorden *mawredd* (grootheid) en *iudd* (heer, god). De betekenis is "grote heer" (de naam werd vroeger alleen aan jongens gegeven).

Merel *v* De vogelnaam "merel", van het Latijnse *merula*.

Meri *v* (Slavisch) Zie Maria.

Merijn *v* Vrouwelijke vorm afgeleid van Marinus.

Merik *m* (Slavisch) Zie Marcus.

Merith *v* (Engels) Zie Meredith.

Merle *v* (Engels, Frans) Zie Merel.

Merlijn *m/v* Zie Merlin.

Merlin *m* (Engels) Merlin was de naam van de tovenaar en raadgever van koning Arthur in de Keltische Arthur-romans. Zijn Keltische naam *Myrddin* betekent "heuvel, duin bij de zee".

Merlina *v* Vrouwelijke vorm van Merlijn.

Merlissa *v* Vrouwelijke vorm afgeleid van Merlijn.

Mertel *m* (Duits) Zie Martinus.

Merten *m* (Duits) Zie Martinus.

Mertin *m* (Duits) Zie Martinus.

Mervyn *m* (Keltisch) Ook **Mervin** gespeld. Waarschijnlijk is de naam afgeleid van het Keltische *myrddin*, dat "heuvel, duin bij de zee" betekent. Hij kan ook een variant zijn van Marvin.

Meta *v* Zie Margaretha of Mathilde.

Metta *v* (Duits) Zie Margaretha.

Mette *m/v* (Fries) Waarschijnlijk een verkorte vorm van namen met de Germaanse stam *mathla* (gerechtsplaats). Mette is de naam van de heldin in een aantal Scandinavische sprookjes.
De naam kan ook een koosnaam zijn van Margaretha.

Metten *m* Verkorte vorm van namen met de Germaanse stam *mathla* (gerechtsplaats).

Mettina *v* Zie Mathilde of Margaretha.

Meve *v* Vrouwelijke vorm afgeleid van Bartholomeus.

Mia *v* Zie Maria.

Micaela *v* (Italiaans) Vrouwelijke vorm van Michael.

Micha *m* (Slavisch) Zie Michael.

Michael *m* Ook **Michaël** gespeld. Afgeleid van het Hebreeuwse *mikhâel* dat "wie is als God?" betekent. Michael is een van de aartsengelen.

Michaela *v* (Duits) Vrouwelijke vorm van Michael.

Michail *m* (Slavisch) Zie Michael.

Michal *m* (Slavisch) Zie Michael.

Michalina *v* (Slavisch) Vrouwelijke vorm afgeleid van Michael.

Michar *m* Zie Michael.

Michel *m* (Duits, Frans) Zie Michael.

Michele *m* (Italiaans) Zie Michael.

Michèle *v* (Frans) Vrouwelijke vorm van Michael.

Micheline *v* (Duits, Frans) Vrouwelijke vorm afgeleid van Michael.

Michelle *v* Vrouwelijke vorm van Michael.

Michey *v* (Engels) Vrouwelijke vorm afgeleid van Michael.

Michiel *m* Zie Michael.

Michon *v* (Frans) Vrouwelijke vorm afgeleid van Michael.

Michou *v* (Frans) Vrouwelijke vorm afgeleid van Michael.

Mick *m* (Engels) Zie Michael.

Mickel *m* (Scandinavisch) Zie Michael.

Micky *m/v* Zie Michael.

Midas *m* De naam kan een afleiding zijn van het Frygische *mei* (fris, zacht) of het Oudindische *mayas* (verfrissing). In de Griekse mythologie is Midas de koning die wenste dat alles wat hij aanraakte in goud zou veranderen en die door Apollo werd opgezadeld met ezelsoren.

Mie *v* (Scandinavisch) Zie Maria.

Mieke *v* Zie Maria.

Miel *m* Zie Camillus of Aemilius.

Miels *m* Zie Camillus of Aemilius.

Mien *v* Zie Mina.

Miens *m* Zie Dominicus.

Miep *v* Zie Maria.

Mies *m* Zie Bartholomeus.

Migel *m* Zie Michael.

Mignon *v* (Frans) Betekent letterlijk "schattig" en "lieveling".

Mignonne *v* (Frans) Zie Mignon.

Miguel *m* (Portugees, Spaans) Zie Michael.

Miguela *v* (Portugees, Spaans) Vrouwelijke vorm afgeleid van Michael.

Mihaela *v* (Slavisch) Vrouwelijke vorm afgeleid van Michael.

Mihala *v* (Slavisch) Vrouwelijke vorm afgeleid van Michael.

Mihaéla *v* (Hongaars) Vrouwelijke vorm afgeleid van Michael.

Mihály *m* (Hongaars) Zie Michael.

Mika *m* Zie Michael.

Mikael *m* (Scandinavisch) Zie Michael.

Mikala *v* (Scandinavisch) Vrouwelijke vorm afgeleid van Michael.

Mike *m* (Engels) Zie Michael.

Mikel *m* (Scandinavisch) Zie Michael.

Miki *v* Zie Mieke of Micky.

Miklós *m* (Hongaars) Zie Nicolaas.

Mikola *m* (Slavisch) Zie Nicolaas.

Mila *v* (Slavisch) Zie Ludmilla of Emilia.

Milan *m/v* (Slavisch) Verkorte vorm van de Russische naam **Miloslav**, samengesteld uit de woorden *milij* (lief) en *slava* (roem).

Mildred *v* (Engels) Samenstelling van de Germaanse stamvormen *mild* (mild, zacht) en *thrudh* (kracht).

Betekenis: "milde kracht".

Mile *m* (Slavisch) Zie Aemilius.

Milena *v* (Slavisch) Zie Mila.

Milène *v* (Frans) Zie Mila. Ook **Mylène** gespeld.

Milicia *v* Zie Millicent.

Milie *v* Vrouwelijke vorm afgeleid van Aemilius.

Milko *m* (Slavisch) Zie Aemilius.

Millicent *v* Samenstelling van de Germaanse stamvormen *amal* (strijdlust) en *swinth* (kracht). Betekenis: "sterk in de strijd". De naam is een variant op **Melisenda**, de dochter van Karel de Grote.

Milly *v* (Engels) Vrouwelijke vorm afgeleid van Aemilius, Camillus of Mildred.

Milo *m* Zie Camillus.

Milou *v* (Frans) Vrouwelijke vorm afgeleid van Aemilius. Ook **Miloud** (Frans) gespeld.

Milton *m* (Engels) Oorspronkelijk een plaatsnaam en een familienaam afgeleid van *middel-tûn* (erf in het midden) of *mylen-tûn* (molenerf).

Mimi *v* Zie Maria.

Mina *v* Zie Hermina of vrouwelijke vorm afgeleid van Wilhelm.

Mindert *m* (Fries) Zie Meinhard.

Mindy *v* Zie Mandy of vrouwelijke vorm afgeleid van Mindert.

Minette *v* (Frans) Zie Mignon.

Ming *m* (Spaans) Zie Dominicus.

Minka *v* (Slavisch) Vrouwelijke vorm afgeleid van Wilhelm.

Minke *v* (Fries) Vrouwelijke vorm afgeleid van Meine.

Minne *v* Zie Meine of vrouwelijke vorm afgeleid van Wilhelm.

Minou *v* Zie Mina.

Mira *v* Zie Mirabella.

Mirabel *v* Zie Mirabella.

Mirabella *v* Naam afgeleid van het Latijnse *mirabilis*, dat "verwonderlijk" betekent.

Mirada *v* Zie Miranda.

Miralda *v* Zie Esmeralda.

Miranda *v* Naam afgeleid van het Latijnse *mirandus*, dat "bewonderenswaardig" betekent.

Mireille *v* (Frans) Naam afgeleid van het Provençaalse *mirèio*, dat mogelijk verband houdt met het Latijnse *mirus* (verwonderlijk).

Mirella *v* (Italiaans) Zie Mireille.

Miriam *v* Zie Maria.

Mirja *v* (Scandinavisch) Zie Maria.

Mirjam *v* Zie Maria.

Mirl *v* (Duits) Zie Maria.

Mirre *v* Zie Mirte.

Mirte *v* Naam van een altijdgroene heester. Mirte was in de Oudheid een symbool voor liefde, huwelijk en vruchtbaarheid.

Mischa *m* (Slavisch) Zie Michael.

Misha *v* Zie Mischa.

Mistafa *m* (Arabisch) Zie Mustafa.

Mitch *m* (Engels) Zie Michael.

Mitchel *m* (Engels) Zie Michael.

Mitja *m* (Slavisch) Zie Demetrius.

Mitra *v* (Indisch) In de vedische mythologie is Mitra de god van de zon en het licht en de bewaker van de waarheid en de trouw.

Mitzi *v* (Duits) Zie Maria.

Moerat *m* (Turks) Zie Marvat.

Moestafa *m* (Turks) Zie Mustafa.

Mohammed *m* (Arabisch) De naam betekent "hooggeprezen". Mohammed (570?-632) was de stichter en een profeet van de islam.

Moira *v* (Engels) Variant van Maire, de Ierse vorm van Maria.

Mon *m* Zie Edmond of Simon.

Mona *v* (Engels) Afgeleid van het Ierse *muadhnait*, dat nobel betekent.

Mona *v* (Italiaans) Zie Madonna.

Monica *v* Waarschijnlijk van Afrikaanse oorsprong. De naam kan ook verband houden met het Latijnse *monere* (herinneren, vermanen) of het Griekse *monos* (alleen).

Moniek *v* Zie Monica.

Monika *v* (Duits) Zie Monica.

Monique *v* (Frans) Zie Monica.

Morgan *m/v* (Engels) Afgeleid van het Welse *morien* (in zee geboren) of *muirgen* (groot en helder). Morgan was in de Keltische Arthur-romans een tovenares en heks. De fata morgana (luchtspiegeling) is naar haar genoemd.

Morgana *v* (Engels) Zie Morgan.

Morillo *m* (Spaans) Zie Mauritius.

Moritz *m* (Duits) Zie Mauritius.

Morris *m* (Engels) Zie Mauritius.

Morten *m* (Scandinavisch) Zie Martinus.

Mozes *m* Hebreeuwse naam die vaak vertaald wordt als "uit het water gehaald", naar aanleiding van het bijbelverhaal waarin de kleine Mozes in een rieten mandje op het water werd gezet. Waarschijnlijk is de naam van oorsprong Egyptisch en is de betekenis "kind".

Muriel *v* (Engels) Naam afgeleid van het Oudierse *muirgheal*, dat "zeeglans" betekent.

Murielle *v* (Frans) Zie Muriel.

Murillo *m* (Spaans) Zie Mauritius.

Mustafa *m* (Turks) Een van oorsprong Arabische naam die ontleend is aan een van de bijnamen van de profeet Mohammed. De betekenis is "uitverkorene".

Myra *v* (Engels) Waarschijnlijk een fantasienaam. Mogelijk ook een vrouwelijke variant van de Griekse naam **Myron**, met als betekenis "zoet geurend als olie".

Myriam *v* Zie Mirjam.

Myrka *v* (Fries) Vrouwelijke vorm afgeleid van Mauritius. Ook **Mirka** gespeld.

Myrna *v* (Engels) Naam afgeleid van het Gaelische *muirne*, dat "teder, lief" betekent.

Myrthe *v* Zie Mirte.

Nabor *m* Hebreeuwse naam die waarschijnlijk "profeet van het licht" betekent.

Nadia *v* Zie Nadja.

Nadine *v* (Frans) Zie Nadja.

Nadja *v* (Slavisch) Verkorte vorm van het Russische woord *nadjezjda*, dat "hoop" betekent.

Naima *v* (Scandinavisch) Zie Naomi.

Naimi *v* (Scandinavisch) Zie Naomi.

Naline *v* Vrouwelijke vorm afgeleid van Arnoud.

Namara *v* (Keltisch) De naam betekent letterlijk "hond van de zee".

Name *m* (Fries) Zie Nan.

Nan *m/v* Verkorte vorm van namen zoals Johannes of Adriaan. Het is een bakernaam, d.w.z. een naam die in de kindermond is ontstaan en later een officiële naam werd.

Nana *v* (Italiaans) Vrouwelijke vorm afgeleid van Johannes.

Nancy *v* (Engels) Zie Anna.

Nand *m* Zie Ferdinand.

Nander *m* Samenstelling van de Germaanse stamvormen *nanth* (dapper) en *heri* (leger).

Nandita *v* Vrouwelijke vorm afgeleid van Ferdinand.

Nando *m* (Duits) Zie Ferdinand.

Nándor *m* (Hongaars) Zie Ferdinand.

Nanet *v* (Frans) Zie Anna.

Nanette *v* (Frans) Zie Anna.

Nanie *v* Vrouwelijke vorm afgeleid van Johannes.

Nanieke *v* Zie Nan.

Nanja *v* (Slavisch) Vrouwelijke vorm afgeleid van Anastasius.

Nanna *v* (Duits) Zie Anna.

Nanne *v* (Duits) Vrouwelijke vorm afgeleid van Johannes.

Nannette *v* (Frans) Zie Anna.

Nannina *v* (Duits) Zie Anna.

Naomi *v* Hebreeuwse naam die "lieflijkheid" betekent.

Nard *m* Zie Bernhard of Leonard.

Nardine *v* Vrouwelijke vorm van Nardus.

Nardus *m* Zie Bernhard of Leonard.

Nas *m* Zie Ignaas.

Nastasja *v* (Slavisch) Vrouwelijke vorm afgeleid van Anastasius.

Natalia *v* Naam die is afgeleid van het Latijnse *(dies) natalis*, dat "geboortedag" betekent, en meer bepaald de geboortedag van Jezus. De naam wordt meestal gegeven aan meisjes die op 25 december geboren worden. Vergelijk de Franse voornaam Noël.

Natalie *v* Zie Natalia.

Natalija *v* (Slavisch) Zie Natalia.

Natascha *v* (Slavisch) Zie Natalia.

Natasja *v* Zie Natalia.

Nathalie *v* (Frans) Zie Natalia.

Nathan *m* Zie Jonathan.

Naut *m* Zie Arnoud.

Neal *m* (Engels) Zie Neil.

Ned *m* (Engels) Zie Edward of Edmund.

Neil *m* (Engels) Naam die is afgeleid van het Ierse *niul*, een koosnaam afgeleid van *niadh* (kampioen, aanvoerder).

Nel *v* Zie Cornelia, Helena of Petronella.

Nelda *v* Zie Nel.

Nele *v* Vrouwelijke vorm afgeleid van Cornelis.

Neline *v* Zie Nel.

Nella *v* Zie Petronella.

Nelli *v* (Duits) Zie Helena.

Nelly *v* (Engels) Zie Helena.

Nelson *m* (Engels) Zie Neil.

Nena *v* Zie Magdalena.

Nenno *m* Zie Nan.

Nerissa *v* Naam afgeleid van het Griekse *nereis*, dat "zeenimf" betekent. De nereïden waren zeenimfen, dochters van de zeegod Nereus.

Nero *m* Latijnse naam die letterlijk "sterk, streng" betekent.

Nestor *m* De betekenis van deze van oorsprong Griekse naam is onzeker. In de Griekse mythologie was Nestor de oudste held die deelnam aan de Trojaanse oorlog. De uitdrukking "de nestor" betekent "de oudste en eerbiedwaardigste".

Nette *v* Zie Nettie.

Nettie *v* Zie Agnes of Anna. Het kan ook een vrouwelijke vorm zijn

die afgeleid is van Antonius of Johannes.

Nevil *m* (Engels) Oorspronkelijk een Normandische familienaam. Ook **Neville** geschreven.

Nevin *v* (Engels) Naam afgeleid van het Ierse *naomhaim*, een verkleinvorm van *naomh*, dat "heilig" betekent.

Nianca *v* Vrouwelijke vorm afgeleid van Antonius.

Nica *v* Vrouwelijke vorm afgeleid van Nicolaas.

Niccolò *m* (Italiaans) Zie Nicolaas.

Nicholas *m* (Engels) Zie Nicolaas.

Nick *m* (Engels) Zie Nicolaas.

Nickel *m* (Engels) Zie Nicolaas.

Nickkolas *m* (Engels) Zie Nicolaas.

Nicky *m/v* Zie Nicolaas.

Nicola *m* (Italiaans) Zie Nicolaas.

Nicolaas *m* Samenstelling van het Griekse *nikè* (overwinning) en *laos* (volk). Betekenis: "overwinnaar van het volk". In de Griekse mythologie is Nike de godin van de overwinning.

Nicolai *m* (Slavisch) Zie Nicolaas.

Nicolas *m* (Frans) Zie Nicolaas.

Nicolás *m* (Spaans) Zie Nicolaas.

Nicole *v* (Frans) Vrouwelijke vorm van Nicolaas.

Nicolette *v* (Frans) Vrouwelijke vorm afgeleid van Nicolaas.

Nicolien *v* Vrouwelijke vorm van Nicolaas.

Nicoline *v* Vrouwelijke vorm van Nicolaas.

Nicolo *m* (Italiaans) Zie Nicolaas.

Niek *m* Zie Nicolaas.

Niel *m* Zie Neil of Nicolaas.

Niels *m* (Scandinavisch) Zie Nicolaas of Cornelis.

Nienke *v* (Fries) Zie Catharina of Nina.

Nigel *m* (Engels) Zie Neil.

Nijs *m* Zie Dionysius.

Niki *v* Vrouwelijke vorm afgeleid van Nicolaas.

Nikita *m/v* (Slavisch) Zie Nicolaas.

Niko *m* Zie Nicolaas.

Nikolai *m* (Slavisch) Zie Nicolaas.

Nils *m* (Scandinavisch) Zie Nicolaas of Cornelis.

Nimfa *v* Zie Nymfa.

Nina *v* (Slavisch) Russische koosnaam van Anna of verkleinvorm van Catharina of andere namen die eindigen op -ina.

Ninette *v* (Frans) Zie Nina.

Ninja *v* (Portugees) Zie Nina.

Nino *m* Zie Johannes.

Nitin *m* Zie Dionysius.

Nivard *m* Samenstelling van de Germaanse stamvormen *niuja* (jong, nieuw) en *wardan* (beschermen).

Noach *m* Het Hebreeuwse *noah* betekent "rust, troost". Noach is in de bijbel de enige die aan de zondvloed ontkomt door middel van een grote ark.

Noah *m* (Engels) Zie Noach.

Noam *m* Zie Naomi.

Noé *m* (Frans) Zie Noach.

Noël *m* (Frans) Zie Natalia.

Noëlle *v* (Frans) Zie Natalia.

Noémi *v* (Frans) Zie Naomi.

Nola *v* Vrouwelijke vorm afgeleid van Arnoud.

Nolda *v* Vrouwelijke vorm afgeleid van Arnoud.

Nolde *m* (Duits) Zie Arnoud.

Nomie *v* Zie Naomi.

Nona *v* Naam afgeleid van het Latijnse *nonus*, dat "negende" betekent. Of een verkorte variant van Eleonora.

Nonie *v* Zie Eleonora.

Nonja *v* Zie Nonie.

Noortje *v* Zie Eleonora.

Nora *v* Zie Eleonora.

Norbert *m* Samenstelling van de Germaanse stamvormen *north* (noord) of *northa* (kracht) en *berht* (schitterend). Betekenis: "schitterende man uit het noorden" of "schitterend door zijn kracht".

Norina *v* (Italiaans) Zie Eleonora.

Norine *v* Vrouwelijke naam afgeleid van Honorine.

Norma *v* (Engels) Naam afgeleid van het Latijnse *norma*, dat "maatstaf, richtsnoer" betekent. De naam kan ook een vrouwelijke vorm zijn van Norman.

Norman *m* (Engels) Zelfde betekenis als Norbert (zie aldaar).

Normen *m* Zie Norman.

Noud *m* Zie Arnoud.

Noury *m* (Spaans) Zie Nuria.

Nuria *v* (Spaans) Het Baskische *nuria* betekent "plaats tussen heuvels". De voornaam is ontstaan door de verering van de Maagd van

Nuria. Het Arabische *nuriya* betekent "lichtend".

Nykle *m* (Scandinavisch) Zie Nicolaas.

Nymfa *v* Naam afgeleid van het Griekse *numphè*, dat "jonge vrouw, bruid, nimf" betekent.

Nynke *v* (Fries) Zie Nienke.

Obe *m* (Fries) Verkorte vorm van namen met de Germaanse stam *wolf* (wolf) of *ôd* (erfgoed), gevolgd door een tweede lid dat met b- begint, zoals O(l)brecht.

Oberon *m* (Frans) Zie Alberik.

Octaaf *m* Zie Octavus.

Octave *m* (Frans) Zie Octavus.

Octavie *v* (Frans) Zie Octavus.

Octavio *m* (Italiaans) Zie Octavus.

Octavus *m* Latijnse naam die "de achtste" betekent.

Oda *v* (Fries) Vrouwelijke vorm van Ode.

Oddo *m* (Italiaans) Zie Otto.

Ode *m* Verkorte vorm van namen met de Germaanse stam *ôd* (erfgoed).

Odette *v* (Frans) Vrouwelijke vorm van Ode.

Odiel *m* Zie Ode.

Odile *v* (Frans) Vrouwelijke vorm afgeleid van Ode.

Odilia *v* Vrouwelijke vorm afgeleid van Ode.

Odilon *m* (Frans) Zie Ode.

Odin *m* (Scandinavisch) In de Scandinavische mythologie is Odin de god van de oorlog en de dood, maar ook van de wijsheid. De naam betekent "woede, razernij, extase".

Odmar *m* Samenstelling van de Germaanse stamvormen *ôd* (erfgoed) en *mâr* (vermaard). Betekenis: "vermaard door zijn erfgoed".

Odulf *m* Samenstelling van de Germaanse stamvormen *ôd* (erfgoed) en *wolf* (wolf).

Oebele *m* (Fries) Zie Obe.

Oele *m* (Fries) Verkorte vorm van namen met de Germaanse stam *ôdal* (erfgrond, bodem) of van de naam Oebele (zie Obe).

Ofelia *v* Naam afgeleid van het Griekse *opheleia*, dat "nut, voordeel" betekent.

Ogier *m* (Frans) Samenstelling van de Germaanse stamvormen *ôd* (erfgoed) en *gêr* (speer).

Ola *m* (Scandinavisch) Zie Olaf.

Olaf *m* (Scandinavisch) Samenstelling van de Germaanse stamvormen *ano* (voorvader) en *lêf* (rest, overblijfsel). Betekenis: "erfenis of zoon van de voorvaderen".

Olda *v* (Fries) Verkorte vorm van namen met de Germaanse stam *ald* (oud, volwassen, wijs).

Oldrik *m* (Fries) Samenstelling van de Germaanse stamvormen *ôdal* (erfgrond, bodem) en *rîk* (rijk, machtig). Betekenis: "machtig door zijn erfgrond".

Ole *m* (Scandinavisch) Zie Olaf.

Olga *v* (Slavisch) Russische vorm van Helga.

Olinda *v* (Italiaans) Naam die vermoedelijk is afgeleid van de Griekse stad Olinthos.

Oliver *m* Zie Olivier.

Olivia *v* Latijnse naam die "olijf, olijftak" betekent. De olijf is het symbool van vrede en vruchtbaarheid.

Olivier *m* (Frans) Naam die waarschijnlijk is afgeleid van het Latijnse *olivarius* (olijfboomplanter). De naam kan ook van Germaanse oorsprong zijn en teruggaan op de naam *Alfhari* (alven- of elfenleger), *Wolfheri* (leger van wolven) of *Anleifr* (zoon van de voorvaderen).

Oliviero *m* (Italiaans) Zie Olivier.

Olly *v* Zie Olivia.

Olof *m* (Scandinavisch) Zie Olaf.

Oluf *m* (Scandinavisch) Zie Olaf.

Omar *m* (Arabisch) De naam betekent "welsprekend, spraakzaam".

Omer *m* (Frans) Samenstelling van de Germaanse stamvormen *ôd* (erfgoed) en *mâr* (vermaard). Betekenis: "vermaard door zijn erfgoed".

Ondine *v* Zie Undine.

Orchan *m* (Turks) Zie Orhan.

Orchid *v* (Engels) De naam betekent letterlijk "orchidee". Deze bloem is het symbool van pracht en luxe.

Orhan *m* (Turks) Naam van Arabische oorsprong waarvan de betekenis niet is achterhaald.

Orin *m* (Engels) Oorspronkelijk een familienaam.

Orla *v* (Keltisch) Naam die is afgeleid van het Gaelische *or* (goud).

Betekenis: "meisje met de gouden haren".

Orlando *m* (Italiaans) Zie Roeland.

Orly *v* (Frans) Zie Orla of vrouwelijke vorm van Orlando.

Orsch *v* (Zwitsers) Zie Ursula.

Orscheli *v* (Zwitsers) Zie Ursula.

Orsola *v* (Italiaans) Zie Ursula.

Orsolya *v* (Hongaars) Zie Ursula.

Ortensia *v* (Italiaans) Vrouwelijke vorm afgeleid van Hortensius.

Oscar *m* (Scandinavisch) Zie Ansgar.

Oskar *m* (Duits) Zie Ansgar.

Osmar *m* (Duits) Samenstelling van de Germaanse stamvormen *ans* (god) en *mâr* (vermaard).

Osmond *m* (Engels) Zie Osmund.

Osmund *m* (Duits) Samenstelling van de Germaanse stamvormen *ans* (god) en *mund* (beschermer, voogd).

Ossip *m* (Slavisch) Zie Jozef.

Oswin *m* Samenstelling van de Germaanse stamvormen *ans* (god) en *win* (vriend). Betekenis: "vriend van de goden".

Otis *m* (Engels) Zie Ode.

Otmar *m* Zie Odmar.

Otto *m* (Duits) Verkorte vorm van namen met de Germaanse stam *ôd* (erfgoed, rijkdom).

Owen *m* (Keltisch) Naam die mogelijk is afgeleid van het Welse *oen* (lam) of van het Keltische *eoghain* (jongeling).

Paablo *m* (Spaans) Zie Pablo.

Paavo *m* (Scandinavisch, Fins) Zie Paulus.

Pablo *m* (Spaans) Zie Paulus.

Paco *m* (Spaans) Zie Franciscus.

Paddy *m/v* Zie Patrick.

Pál *m* (Hongaars) Zie Paulus.

Palma *v* Het Latijnse *palma* betekent "palm, vlakke hand".

Paloma *v* (Spaans) Betekent letterlijk "duif".

Pam *v* Zie Pamela.

Pamela *v* (Engels) Naam die is afgeleid van het Griekse *pan* (alles) en *meli* (honing) of *melos* (gezang). Betekenis: "vol zoetheid" of "vol gezang".

Pancha *v* (Spaans) Vrouwelijke vorm afgeleid van Franciscus.

Panchita *v* (Spaans) Vrouwelijke vorm afgeleid van Franciscus.

Pancho *m* (Spaans) Zie Franciscus.

Pandora *v* In de Griekse mythologie is Pandora de eerste en mooiste vrouw. Zeus gaf haar een doos waarin ze niet mocht kijken. Pandora opende de doos toch, waardoor alle rampen zich over de aarde konden verbreiden. De betekenis van de naam is "de algeefster" (de aarde).

Paola *v* (Italiaans) Vrouwelijke vorm afgeleid van Paulus.

Paoline *v* (Italiaans) Zie Paola.

Paolo *m* (Italiaans) Zie Paulus.

Parcifal *m* (Frans) Naam afgeleid van het Franse *perce-val*, dat "doordring het dal" betekent. Parcifal is een van de ridders uit de Keltische Arthur-romans.

Pascal *m* (Frans) Zie Paschalis.

Pascale *v* (Frans) Vrouwelijke vorm van Paschalis.

Pascaline *v* (Frans) Vrouwelijke vorm van Paschalis.

Paschalis *m* De naam is afgeleid van het Aramese *pascha*, dat "Pasen" of "geboren op paasdag" betekent.

Pascual *m* (Italiaans, Spaans) Zie Pascal.

Pasquale *m/v* (Italiaans) Zie Paschalis.

Pat *m/v* (Engels) Zie Patricius.

Patrice *m* (Frans) Zie Patricius.

Patricia *v* Zie Patricius.

Patricio *m* (Italiaans) Zie Patricius.

Patricius *m* Het Latijnse *patricius* betekent "patriciër, adellijk". Oorspronkelijk een Romeinse familienaam.

Patrick *m* (Engels, Frans) Zie Patricius.

Patriz *m* (Duits) Zie Patricius.

Patrizio *m* (Italiaans) Zie Patricius.

Patty *v* (Engels) Vrouwelijke vorm afgeleid van Patricius.

Paul *m* Zie Paulus.

Paula *v* Vrouwelijke vorm van Paulus. Ook **Paule** (Frans) gespeld.

Pauleen *v* (Engels) Vrouwelijke vorm van Paulus.

Paulette *v* (Frans) Vrouwelijke vorm afgeleid van Paulus.

Paulien *v* Vrouwelijke vorm van Paulus.

Paulina *v* Vrouwelijke vorm van Paulus.

Pauline *v* (Engels, Frans) Vrouwelijke vorm van Paulus.

Paulo *m* Zie Paulus.

Paulus *m* Latijnse naam die "klein, gering" betekent.

Pavan *m* Zie Paulus.

Pavel *m* Zie Paulus.

Pavla *v* (Slavisch) Vrouwelijke vorm afgeleid van Paulus.

Pawel *m* (Slavisch) Zie Paulus.

Peder *m* (Scandinavisch) Zie Petrus.

Pedro *m* (Spaans) Zie Petrus.

Peer *m* (Scandinavisch) Zie Petrus.

Peet *m* Zie Petrus.

Peggy *v* (Engels) Zie Margaretha.

Peregrinus *m* Gelatiniseerde vorm van de Germaanse naam Bilgrim, met als betekenis "wrede strijdbijl". De naam kreeg de betekenis van "pelgrim, vreemdeling".

Pelle *m* (Fries, Scandinavisch) Zie Peregrinus of Petrus.

Pen *v* Zie Penelope.

Penelope *v* (Engels) Naam die is afgeleid van het Griekse *pènelops*, de naam van een soort bonte eend. Ook **Pénélope** (Frans) gespeld.

Penny *v* Zie Penelope.

Pepe *m* (Spaans) Zie Jozef.

Pepijn *m* Een reeds lang bestaande bakernaam, d.w.z. een naam die in de kindermond is ontstaan en later een officiële naam werd. De oorspronkelijke naam is Filippus (zie Philip).

Pepita *v* (Spaans) Vrouwelijke vorm afgeleid van Jozef.

Peppo *m* (Italiaans) Zie Jozef.

Per *m* (Scandinavisch) Zie Petrus.

Percy *m* (Engels) Oorspronkelijk een plaatsnaam in Normandië (Perci), later een familienaam en voornaam.

Pernella *v* (Italiaans) Zie Petronella.

Perry *m* (Engels) Zie Peregrinus.

Pes *m* (Slavisch) Zie Petrus.

Petar *m* (Slavisch) Zie Petrus.

Pete *m* (Duits) Zie Petrus.

Peter *m* Zie Petrus.

Peter-Paul *m* Combinatienaam van Petrus en Paulus.

Petina *v* Vrouwelijke vorm afgeleid van Petrus.

Petö *m* (Hongaars) Zie Petrus.

Petr *m* (Slavisch) Zie Petrus.

Petra *v* Vrouwelijke vorm van Petrus.

Petroeska *v* (Slavisch) Vrouwelijke vorm afgeleid van Petrus.

Petronella *v* (Italiaans) Vrouwelijke afleiding van de Romeinse familienaam Petronius. Het Latijnse *petro* betekent "steenbok". Vaak ook als **Petronilla** gespeld.

Pétronille *v* (Frans) Zie Petronella.

Petrus *m* Naam die is afgeleid van het Griekse *petros*, met als betekenis "steen, rots", als symbool van vastheid en betrouwbaarheid.

Petruschka *v* (Slavisch) Vrouwelijke vorm afgeleid van Petrus.

Pety *v* Vrouwelijke vorm afgeleid van Petrus.

Philibert *m* Zie Filibert.

Philine *v* Naam die is afgeleid van het Griekse *philein*, dat "liefhebben, beminnen" betekent. Betekenis: "geliefde".

Philip *m* Naam die is samengesteld uit het Griekse *philos* (vriend) en *hippos* (paard). Betekenis: "paardenvriend". Ook **Filip** gespeld.

Philippe *m* (Frans) Zie Philip.

Philma *v* Zie Philomena.

Philomena *v* Naam afgeleid van het Griekse *philoemenè*, dat "de geliefde" betekent. Ook met F gespeld.

Philomène *v* (Frans) Zie Philomena.

Pia *v* Vrouwelijke vorm van Pius.

Pico *m* Zie Petrus.

Pien *m* Zie Pauline of Jozef.

Pier *m* (Italiaans) Zie Petrus.

Piera *v* (Italiaans) Vrouwelijke vorm afgeleid van Petrus.

Pierina *v* (Italiaans) Vrouwelijke vorm afgeleid van Petrus.

Pierre *m* (Frans) Zie Petrus.

Pierrette *v* (Frans) Zie Petrus.

Piet *m* Zie Petrus.

Piet-Hein *m* Combinatienaam van Petrus en Hendrik.

Pieter *m* Zie Petrus.

Pieter-Jan *m* Combinatienaam van Petrus en Johannes.

Pietro *m* (Italiaans) Zie Petrus.

Pim *m* Zie Wilhelm.

Piotre *m* (Slavisch) Zie Petrus.

Piroschka *v* (Hongaars) Zie Prisca.

Pius *m* Latijnse naam die "vroom, gewijd" betekent.

Pjotr *m* (Slavisch) Zie Petrus.

Placide *m* (Frans) Zie Placido.

Placido *m* (Spaans) Naam die is afgeleid van het Latijnse *placidus* (kalm, vreedzaam, vriendelijk).

Plato *m* Griekse naam afgeleid van *platus* (breed, sterk). Naam van de beroemdste Griekse filosoof (427-347v.Chr.).

Ploni *v* Vrouwelijke vorm afgeleid van Apollonius.

Pol *m* Zie Leopold of Apollonius.

Poldo *m* (Italiaans) Zie Leopold.

Poppe *m* (Fries) Verkorte vorm van namen met de Germaanse stam *folk* (krijgsvolk) of *bod* (gebod).

Poppy *v* (Engels) Betekent letterlijk "papaver, klaproos".

Poul *m* (Scandinavisch) Zie Paulus.

Pouwel *m* Zie Paulus.

Prisca *v* Het Latijnse *priscus* betekent "oud, eerwaardig".

Priscilla *v* Zie Prisca.
Priska *v* (Slavisch) Zie Prisca.
Prosper *m* Vlaamse naam die is

afgeleid van het Latijnse *prosperus*, dat "voorspoedig, gelukkig makend" betekent.

Q

Queeny *v* (Engels) Zie Regina.
Quelly *v* (Engels) Zie Kelly.
Quentin *m* (Frans, Engels) Zie Quintus.
Quico *m* (Spaans) Zie Franciscus.
Quincy *m* (Engels) Zie Quintus.
Quint *m* Zie Quintus.
Quinten *m* Zie Quintus. Ook **Kwinten** gespeld.
Quintus *m* Latijnse naam die

letterlijk "de vijfde" betekent.
Quirien *m/v* Zie Quirinus.
Quirinus *m* Oorspronkelijk de naam van de oorlogsgod van de Sabijnen, met als betekenis "lans-zwaaier".
Quita *v* (Spaans) Zie Chiquita of vrouwelijke vorm afgeleid van Franciscus.

Raas *m* Zie Erasmus.

Rachel *v* Hebreeuwse naam die "ooi, vrouwelijk schaap" betekent.

Rachele *v* (Italiaans) Zie Rachel.

Rachid *m* (Arabisch) De naam betekent "juist geleide".

Rachna *v* Zie Ragna.

Radek *m* (Slavisch) Zie Radolf.

Radjen *m* (Indisch) Naam afgeleid van het Sanskriet *râjâ*, dat "koning, vorst" betekent.

Radjoe *m* (Indisch) Zie Radjen.

Radmer *m* Samenstelling van de Germaanse stamvormen *râd* (raad, advies) en *mâr* (vermaard). Betekenis: "vermaard om zijn raadgevingen".

Radolf *m* Samenstelling van de Germaanse stamvormen *râd* (raad, advies) en *wolf* (wolf). Betekenis: "raadgever met de wijsheid of kracht van een wolf".

Raf *m* Zie Rafael.

Rafael *m* Hebreeuwse naam met de betekenis "de Heer geneest, heeft genezen". Ook **Rafaël** gespeld. Naam van een van de aartsengelen.

Raffaelo *m* (Italiaans) Zie Rafael.

Rafiq *m* (Indisch) De oorsprong van deze naam is onzeker.

Ragna *v* (Scandinavisch) Verkorte vorm van **Ragnhild** (zie Reinhild).

Ragnar *m* (Scandinavisch) Samenstelling van de Germaanse stamvormen *ragin* (raad, besluit) en *heri* (leger). Betekenis: "raadgever van het leger".

Raimondo *m* (Italiaans) Zie Raimund.

Raimund *m* (Duits) Samenstelling van de Germaanse stamvormen *ragin* (raad, besluit) en *mund* (bescherming, voogd). Betekenis: "raadgever-beschermer".

Raimunda *v* (Duits) Vrouwelijke vorm van Raimund.

Rainer *m* (Duits) Samenstelling van de Germaanse stamvormen *ragin* (raad, besluit) en *heri* (leger). Betekenis: "raadgever van het leger".

Raisa *v* (Slavisch) Zie Rachel.

Ralf *m* Zie Radolf.

Ram *m* Zie Rambert.

Rambert *m* Samenstelling van de Germaanse stamvormen *hraban* (raaf) en *berht* (schitterend). Betekenis: "schitterend als een raaf". De raaf was bij de Germanen een zinnebeeld van kracht en wijsheid.

Rambo *m* Koosnaam afgeleid van namen samengesteld met de Germaanse stam *hraban* (raaf).

Ramin *m* Zie Raimund.

Ramón *m* (Spaans) Zie Raimund.

Ramona *v* (Spaans) Vrouwelijke vorm afgeleid van Raimund.

Ramses *m* (Egyptisch) Naam van verscheidene Egyptische koningen. De betekenis is "zoon van de zonnegod Ra".

Rana *v* Mogelijk is dit een vrouwe-
lijke variant van Ran, de vrouw van
de Germaanse zeegod Aegir. Het
kan ook om een fantasienaam gaan.
Randi *v* (Scandinavisch) Koosnaam
afgeleid van de Germaanse naam
Ragnfrid, die "mooie raadgeefster"
betekent. Het kan ook een andere
spelling zijn voor Randy.
Randolf *m* Samenstelling van de
Germaanse stamvormen *rand*
(schildrand) en *wolf* (wolf).
Randy *m* (Engels) Zie Randolf.
Raoul *m* (Frans) Zie Radolf of
Rudolf.
Raphaël *m* Zie Rafael.
Raphaël *m* (Frans) Zie Rafael.
Raphaëlle *v* (Frans) Zie Rafael.
Raquel *v* (Spaans) Zie Rachel.
Rashid *m* (Turks) Een van oor-
sprong Arabische naam met als
betekenis "juist geleide".
Rashida *v* (Turks) Vrouwelijke
vorm van Rashid.
Raul *m* (Spaans) Zie Radolf.
Ray *m* (Engels) Verkorte vorm van
namen met de Germaanse stam
ragin (raad, besluit), zoals Raymond
of Reginald.
Raymond *m* (Engels, Frans) Zie
Raimund.
Raynaud *m* (Frans) Zie Reinoud.
Ook **Renaud** gespeld.
Rebekka *v* Hebreeuwse naam
waarvan de betekenis onzeker is.

Dikwijls ook **Rebecca** gespeld.
Reemt *m* Zie Raimund.
Reggie *m/v* Zie Reginald.
Regien *v* Zie Regina.
Regina *v* Latijnse naam die "koningin" betekent. Met deze naam werd
oorspronkelijk Maria bedoeld. Ook
Régina, Régine (Frans) gespeld.
Reginald *m* (Engels) Samenstelling
van de Germaanse stamvormen
ragin (raad, besluit) en *wald* (heersen). Betekenis: "raadgever-heerser".
Regner *m* Samenstelling van de
Germaanse stamvormen *ragin* (raad,
besluit) en *heri* (leger). Betekenis:
"raadgever van het leger".
Reider *m* (Fries) Variant van de
naam Ridder, die is samengesteld
uit de Germaanse stamvormen *rîdan*
(rijden) en *heri* (leger). Betekenis:
"ruiter in het leger".
Reimar *m* (Duits) Samenstelling
van de Germaanse stamvormen
ragin (raad, besluit) en *mâr* (vermaard). Betekenis: "vermaarde
raadgever".
Reimborg *v* Samenstelling van de
Germaanse stamvormen *ragin* (raad,
besluit) en *burg* (bescherming). Betekenis: "raadgeefster-beschermster".
Reimer *m* (Duits) Zie Reimar.
Rein *m* (Fries) Verkorte vorm van
namen met de Germaanse stam
ragin (raad, besluit). Betekenis:
"raadgever".

Reina *v* Zie Regina of vrouwelijke vorm van Rein.

Reinald *m* Zie Reinoud.

Reinar *m* (Duits) Zie Rainer.

Reinbert *m* (Fries) Samenstelling van de Germaanse stamvormen *ragin* (raad, besluit) en *berht* (schitterend). Betekenis: "schitterende raadgever".

Reindert *m* (Fries) Zie Reinhard.

Reine *v* Zie Regina of vrouwelijke vorm van Rein.

Reiner *m* (Duits) Zie Rainer.

Reinhard *m* (Duits) Samenstelling van de Germaanse stamvormen *ragin* (raad, besluit) en *hard* (sterk, dapper): "sterke raadgever".

Reinharda *v* (Duits) Vrouwelijke vorm van Reinhard.

Reinhild *v* (Duits) Samenstelling van de Germaanse stamvormen *ragin* (raad, besluit) en *hild* (strijd). Betekenis: "raadgeefster in de strijd".

Reinier *m* Zie Rainer.

Reiniera *v* Vrouwelijke vorm afgeleid van Rainer.

Reinold *m* (Duits) Zie Reinoud.

Reinoud *m* Samenstelling van de Germaanse stamvormen *ragin* (raad, besluit) en *wald* (heersen). Betekenis: "raadgever-heerser". Ook **Reinout** gespeld.

Reitse *m* (Fries) Zie Reider, Reinhard of Reinbert.

Relinda *v* Zie Relindis.

Relindis *v* Samenstelling van de Germaanse stamvormen *ragin* (raad, besluit) en *lind* (slang, schild van lindehout). Betekenis: "raadgever als een slang" of "raadgever met het schild".

Rembrandt *m* Samenstelling van de Germaanse stamvormen *ragin* (raad, besluit) en *brand* (vlammend zwaard). Betekenis: "raadgever met het zwaard."

Remco *m* (Fries) Zie Remme.

Remi *m* Zie Remidius of Remigius. Ook **Rémi** (Frans), **Remy** gespeld.

Remidius *m* Latijnse naam die "helper, redder" betekent.

Remies *m* Zie Remigius.

Remigius *m* Naam die is afgeleid van het Latijnse *remex* (roeier).

Remke *v* (Fries) Vrouwelijke vorm van Remme.

Remme *m* (Fries) Verkorte vorm van een naam met als tweede lid de Germaanse stam *mâr* (vermaard). Het eerste lid kan de Germaanse stam *ragin* (raad, besluit), *râd* (raad, advies) of *hraban* (raaf) zijn.

Remmelt *m* Samenstelling van de Germaanse stamvormen *hraban* (raaf) en *wald* (heersen). Betekenis: "heersen als een raaf" (dus met kracht en wijsheid).

Remo *m* (Italiaans) Zie Remigius.

Remon *m* Zie Raimund.

Rena *v* (Duits) Vrouwelijke vorm afgeleid van Renatus.

Renaat *m* Zie Renatus.

Renaldo *m* Zie Reinoud.

Renata *v* (Italiaans) Vrouwelijke vorm van Renatus.

Renate *v* (Duits) Vrouwelijke vorm van Renatus.

Renato *m* (Italiaans) Zie Renatus.

Renatus *m* Latijnse naam die betekent "wedergeboren".

Renco *m* Zie Rein.

Rende *v* Zie Reinhard of Reinbert.

Rendel *v* (Duits) Zie Reinhild.

René *m* (Frans) Zie Renatus.

Renée *v* (Frans) Vrouwelijke vorm afgeleid van Renatus.

Reni *v* (Duits) Vrouwelijke vorm afgeleid van Renatus.

Renier *m* Zie Rainer.

Reno *m* (Italiaans) Zie Renatus.

Rens *m* Zie Laurentius.

Renske *v* (Fries) Vrouwelijke vorm afgeleid van Laurentius.

Renzo *m* (Italiaans) Zie Laurentius.

Resy *v* Zie Theresia.

Reta *v* (Duits) Zie Margaretha.

Reurik *m* (Scandinavisch) Zie Roderik.

Rex *m* Het Latijnse *rex* betekent "koning".

Reyno *m* Zie Rein.

Rezso *m* (Hongaars) Zie Rudolf.

Rhona *v* Zie Veronica.

Ria *v* Zie Maria.

Rian *m* Zie Adriaan of Ryan.

Rianda *v* Zie Rianne.

Rianne *v* Combinatienaam van Maria en Anna.

Rica *v* (Spaans) Vrouwelijke vorm afgeleid van Richard.

Rica *v* Vrouwelijke vorm afgeleid van Hendrik of Frederik.

Ricarda *v* (Spaans) Vrouwelijke vorm van Richard.

Ricardo *m* (Spaans) Zie Richard.

Ricca *v* (Italiaans) Vrouwelijke vorm afgeleid van Richard.

Riccarda *v* (Italiaans) Vrouwelijke vorm van Richard.

Riccardo *m* (Italiaans) Zie Richard.

Ricco *m* (Italiaans) Zie Richard.

Richard *m* Samenstelling van de Germaanse stammen *rîk* (rijk, machtig) en *hard* (sterk, dapper).

Richarda *v* (Duits) Vrouwelijke vorm van Richard.

Richie *m* (Engels) Zie Richard.

Rick *m* Zie Rik.

Rickard *m* (Scandinavisch) Zie Richard.

Ricky *m/v* (Engels) Zie Rik of Erik.

Rico *m* (Italiaans) Zie Ricardo.

Ridolfo *m* (Italiaans) Zie Rudolf.

Riek *m/v* Zie Rik of Maria.

Rielle *v* Zie Maria.

Riemer *m* Samenstelling van de Germaanse stamvormen *hrôth* (roem) en *mâr* (vermaard).

Rien *m* Zie Marinus of Rein.

Riena *v* Zie Catharina of Maria. Het kan ook een vrouwelijke vorm zijn afgeleid van Hendrik of Rien.

Rienk *m* (Fries) Zie Rein.

Rienzo *m* (Italiaans) Zie Laurentius.

Riet *v* Zie Margaretha of Maria.

Rijntje *v* Verkorte vorm van Reimborg.

Rik *m* Zie Frederik, Hendrik of Richard.

Rika *v* Vrouwelijke vorm afgeleid van Richard of Frederik.

Riley *m* (Iers) Oorspronkelijk een familienaam met de betekenis "nakomeling van een dapper persoon".

Rimski *m* (Slavisch) Oorspronkelijk een familienaam met de betekenis "rooms, van Rome".

Rina *v* Zie Riena.

Rinaldo *m* (Italiaans) Zie Reinoud.

Rindert *m* Zie Reinhard.

Ringo *m* (Engels) Mogelijk een fantasienaam, maar de naam kan ook worden gezien als een verkorte vorm van de Germaanse naam **Ringolf**, een samenstelling van de Germaanse stamvormen *ragin* (raad, besluit) en *wolf* (wolf).

Rini *v* Zie Catharina, Marina of vrouwelijke vorm afgeleid van Hendrik.

Rinke *m/v* (Fries) Zie Rein.

Rinske *v* (Fries) Vrouwelijke vorm afgeleid van Rein.

Rinus *m* Zie Marinus.

Rionaldo *m* Zie Reinoud.

Riordon *m* (Iers) Oorspronkelijk een familienaam die "nakomeling van een koninklijke bard" betekent.

Rita *v* Zie Margaretha of Maria.

Roald *m* Samenstelling van de Germaanse stamvormen *hrôth* (roem) en *wald* (heersen). Betekenis: "beroemd heerser".

Roan *m* (Fries) Zie Hieronymus of Rowan.

Rob *m* Zie Robert.

Robbie *m* Zie Robert.

Robert *m* Samenstelling van de Germaanse stamvormen *hrôth* (roem) en *berht* (schitterend). Betekenis: "schitterend door roem".

Roberta *v* Vrouwelijke vorm van Robert.

Roberte *v* (Frans) Vrouwelijke vorm van Robert. Ook **Robertine**.

Robertino *m* (Italiaans) Zie Robrecht.

Roberto *m* (Italiaans) Zie Robrecht.

Robijn *v* Vrouwelijke vorm afgeleid van Robert.

Robin *m/v* (Engels) Zie Robrecht.

Robine *v* Vrouwelijke vorm afgeleid van Robert.

Robrecht *m* Samenstelling van de Germaanse stamvormen *hrôth* (roem) en *berht* (schitterend). Betekenis: "schitterend door roem".

Rocco *m* (Italiaans) Zie Rochus.

Rochard *m* (Frans) Samenstelling van de Germaanse stamvormen *hrukjan* (schreeuwen, brullen) en *hard* (sterk, dapper). Betekenis: "sterke schreeuwer of strijdkreet".

Roche *m* (Spaans) Zie Rochus.

Rochelle *v* (Engels, Frans) Oorspronkelijk een plaatsnaam met de betekenis "kleine rots".

Rochus *m* (Fries) Gelatiniseerde vorm van de naam Rook, die verband houdt met de Germaanse stam *hrukjan* (schreeuwen, brullen). Betekenis: "strijdkreet".

Rocky *m* Zie Rocco.

Roderik *m* Samenstelling van de Germaanse stamvormen *hrôth* (roem) en *rîk* (rijk, machtig). Betekenis: "beroemd heerser".

Rodger *m* Zie Rutger.

Rodmer *m* Samenstelling van de Germaanse stamvormen *hrôth* (roem) en *mâr* (vermaard).

Rodney *m* (Engels) Oorspronkelijk een plaatsnaam, later ook een familienaam en een voornaam. De naam betekent "rood eiland".

Rodolfo *m* (Italiaans) Zie Rudolf.

Rodrigo *m* (Italiaans) Zie Roderik.

Rodrigue *m* (Italiaans, Portugees, Spaans, Frans) Zie Roderik.

Rody *v* Vrouwelijke vorm afgeleid van Rodney of Roderik.

Roel *m* Zie Roeland, Roelof of Rudolf.

Roeland *m* Samenstelling van de Germaanse stamvormen *hrôth* (roem) en *land* (land). Betekenis: "beroemd in het land". De naam is vooral bekend van het Roelandslied uit de 12de eeuw.

Roelien *v* Vrouwelijke vorm van Roel.

Roelinka *v* Zie Katinka of vrouwelijke vorm van Roel.

Roelof *m* Zie Rudolf.

Roemer *m* Samenstelling van de Germaanse stamvormen *hrôth* (roem) en *mâr* (vermaard).

Roger *m* Zie Rutger.

Rohan *m* (Iers) Oorspronkelijk een familienaam, afgeleid van het Ierse *ruadhan*, dat "kleine rode (jongen)" betekent.

Roland *m* Zie Roeland.

Rolanda *v* Vrouwelijke vorm van Roeland.

Rolande *v* (Frans) Vrouwelijke vorm van Roeland.

Rolando *m* (Italiaans) Zie Rudolf.

Rolf *m* Zie Rudolf.

Rolina *v* Vrouwelijke vorm afgeleid van Roel.

Rollo *m* (Duits) Zie Rudolf.

Romain *m* (Frans) Zie Romanus.

Roman *m* Zie Romanus.

Romano *m* (Italiaans) Zie Romanus.

Romanus *m* Latijnse naam die "Romein, inwoner van Rome" betekent.

Rombert *m* (Fries) Samenstelling van de Germaanse stamvormen *hrôm* (roem) en *berht* (schitterend). Betekenis: "schitterend door roem".

Romée *v* (Frans) Vrouwelijke vorm afgeleid van Romeo of Romanus.

Romek *m* (Slavisch) Zie Romanus.

Romeo *m* (Italiaans) Naam die is afgeleid uit de Griekse naam *Romaios*; betekenis: "Romein" of "hij die in Rome is geweest". De naam is vooral bekend van "Romeo en Julia" van Shakespeare. Ook **Roméo** (Frans) gespeld.

Romika *v* (Hongaars) Vrouwelijke vorm afgeleid van Romanus.

Romy *v* Zie Rosemarie.

Ron *m* Zie Ronald.

Ronald *m* (Schots) Naam die is afgeleid van de oude Scandinavische naam *Rognvaldr*, samengesteld uit de Germaanse stamvormen *ragin* (raad, besluit) en *wald* (heersen). Betekenis: "raadgever-heerser".

Ronja *v* Koosnaam afgeleid van namen met de Germaanse stam *ragin* (raad, besluit).

Ronnart *m* Samenstelling van de Germaanse stamvormen *ragin* (raad, besluit) en *hard* (sterk, dapper). Betekenis: "sterke raadgever".

Ronnie *m* Zie Ronald.

Rony *m* (Engels) Zie Ronald.

Roos *v* Zie Rosa.

Roque *m* (Spaans) Zie Rochus.

Rory *m* (Keltisch) Zie Rohan, Rowan of Roy.

Rosa *v* Latijnse naam die "roos" betekent. Het woord betekende oorspronkelijk waarschijnlijk "doornstruik". De naam kan ook een verkorte vorm zijn van namen met de Germaanse stam *hros* (ros, paard).

Rosalia *v* (Italiaans) Zie Rosa.

Rosalie *v* (Frans) Zie Rosa.

Rosalien *v* Zie Rosa of Rosalia.

Rosalind *v* (Engels) Samenstelling van de Germaanse stamvormen *hros* (ros, paard) en *lind* (slang, schild van lindehout).

Rosalinde *v* Zie Rosalind.

Rosan *v* (Engels) Combinatienaam van Rosa en Anna.

Rosanne *v* Combinatienaam van Rosa en Anna.

Rosco *m* (Engels) Oorspronkelijk een plaatsnaam en een familienaam. De betekenis is "reebokwoud".

Rose *v* Zie Rosa.

Rosel *v* (Duits) Zie Rosa.

Roseline *v* (Frans) Zie Rosa.

Roselita *v* (Spaans) Zie Rosa.

Rosella *v* (Italiaans) Zie Rosa.

Rosemarie *v* Combinatienaam van Rosa en Maria.

Rosette *v* (Frans) Zie Rosa.

Rosie *v* (Engels) Zie Rosa.

Rosika *v* (Hongaars) Zie Rosa.

Rosina *v* Zie Rosa.

Rosine *v* (Frans) Zie Rosa.

Rosita *v* (Spaans) Zie Rosa.

Roswitha *v* Samenstelling van de Germaanse stamvormen *hrôth* (roem) en *swinth* (snel, sterk). Betekenis: "snelle of sterke roem".

Rosy *v* (Engels) Zie Rosa.

Rowald *m* Samenstelling van de Germaanse stamvormen *ragin* (raad, besluit) en *wald* (heersen). Betekenis: "raadgever-heerser".

Rowan *m* (Iers) Naam afgeleid van het Ierse *ruadhán*, dat "kleine rode (jongen)" betekent.

Rowena *v* (Engels) De naam is waarschijnlijk afgeleid van het Keltische *rhonwen*, dat letterlijk "lans" en in figuurlijke zin "de slanke" betekent. De naam raakte bekend door de figuur Rowena in "Ivanhoe".

Rowin *m* Zie Rowan.

Roxane *v* (Perzisch) Naam afgeleid van het Oudperzische *raoxshna*, dat "stralend, schitterend" betekent.

Roxanne *v* Zie Roxane.

Roy *m* (Iers) Naam die is afgeleid van het Ierse *ruadh*, dat "rood" betekent. De naam kan ook een variant zijn van Ray.

Roza *v* Zie Rosa.

Rozanne *v* Combinatienaam van Rosa en Anna.

Rozemarie *v* Combinatienaam van Rosa en Maria.

Ruben *m* Hebreeuwse naam die betekent "zie, een zoon".

Ruby *v* (Engels) Vrouwelijke vorm afgeleid van Robrecht.

Rudi *m* Zie Rudolf. Ook vaak **Rudy** gespeld.

Rudmer *m* Zie Rodmer.

Rudo *m* Zie Rudolf.

Rudolf *m* Samenstelling van de Germaanse stamvormen *hrôth* (roem) en *wolf* (wolf). Betekenis: "beroemde wolf".

Rudolfo *m* (Italiaans) Zie Rudolf.

Rudy *m/v* Zie Rudolf.

Ruedi *m* (Zwitsers) Zie Rudolf.

Rupert *m* (Duits) Zie Robrecht.

Ruperta *v* (Duits) Vrouwelijke vorm afgeleid van Robrecht.

Ruprecht *m* (Duits) Samenstelling van de Germaanse stamvormen *hrôth* (roem) en *berht* (schitterend).

Rusty *m/v* (Engels) Betekent letterlijk "de roestige".

Rut *v* Zie Ruth.

Rutger *m* Samenstelling van de Germaanse stamvormen *hrôth* (roem) en *gêr* (speer). Betekenis: "beroemd met de speer".

Ruth *v* Hebreeuwse naam die waarschijnlijk "vriendschap, vriendin" betekent. Ruth was de stammoeder van het geslacht van David.

Ryan *m* (Iers) Oorspronkelijk een familienaam waarvan de betekenis onzeker is. Waarschijnlijk is er verband met *rian*, "kleine koning".

Ryon *m* Zie Ryan.

Saakje *v* (Fries) Vrouwelijke vorm van Sake.

Saan *m* Zie Sebastiaan.

Saar *v* Zie Sara.

Saartje *v* Zie Sara.

Sabina *v* (Italiaans) Vrouwelijke vorm van Sabinus.

Sabine *v* (Frans) Vrouwelijke vorm van Sabinus.

Sabinus *m* Latijnse naam met als betekenis "van de stam der Sabijnen".

Sabrina *v* Oorspronkelijk een plaatsnaam. Sabrinus is de Latijnse naam van de Engelse rivier Severn. De mogelijke betekenis is "druppelaar".

Sacco *m* Zie Sake.

Sacha *m/v* (Slavisch) Koosnaam afgeleid van Alexander.

Sachar *m* (Slavisch) Zie Zacharias.

Sade *v* Zie Sara.

Sagga *v* (Scandinavisch) Zie Sara.

Said *m* (Arabisch) Afgeleid van het Arabische *sáyyid*, dat "heer" betekent. Oorspronkelijk een eretitel.

Saidja *v* (Arabisch) Vrouwelijke vorm van Said.

Sake *m* (Fries) Verkorte vorm van namen met de Germaanse stam *sakan* (strijden).

Salene *v* (Engels) Zie Selena.

Sally *v* (Engels) Zie Sara.

Salman *m* Zie Salomo.

Salome *v* Vergriekste vorm van het Hebreeuwse *sjalôm*, dat "vrede" betekent. Ook **Salomé** (Frans).

Salomo *m* Hebreeuwse naam die is afgeleid van *sjelômoh*, wat waarschijnlijk "de vreedzame" betekent. De Israëlitische koning Salomo (970-931 v.Chr.) was bekend om zijn wijsheid. Vandaar de uitdrukking "Salomonsoordeel".

Salomon *m* Zie Salomo.

Salvador *m* (Spaans) Naam die is afgeleid van het Latijnse *salvator*, dat "redder, verlosser" betekent.

Sam *m/v* Als mansnaam een verkorte vorm van Samuel, als vrouwennaam van Samantha.

Samantha *v* Hebreeuwse naam die waarschijnlijk "zij die hoort, zij die luistert" betekent.

Samuel *m* Hebreeuwse naam afgeleid van *sjemuel*, dat "de naam is God" betekent.

Sancha *v* (Spaans) Vrouwelijke vorm van Sancho.

Sancho *m* (Spaans) Zie Sanctus.

Sanctus *m* Latijnse naam die letterlijk "heilige" betekent.

Sander *m* Zie Alexander.

Sanderine *v* Vrouwelijke vorm afgeleid van Alexander. Ook **Sandrine** (Frans) gespeld.

Sándor *m* (Hongaars) Zie Sander.

Sandra *v* Vrouwelijke vorm afgeleid van Alexander.

Sandro *m* (Italiaans) Zie Sander.

Sandy *m/v* (Engels) Zie Alexander.

Sanita *v* Zie Susanna.

Sanja *m/v* (Slavisch) Zie Alexander.

Sanna *v* Zie Susanna.

Sanne *m/v* Zie Sander of Susanna.

Sanni *v* Zie Susanna.

Sanny *v* Zie Susanna.

Sante *m* Zie Sanctus.

Santino *m* (Italiaans) Zie Sanctus.

Sara *v* Ook **Sarah** gespeld.
Hebreeuwse naam afgeleid van *sjar* (vorst). Betekenis: "vorstin".

Saranne *v* Combinatienaam van Sara en Anna.

Sari *v* Zie Sara.

Sarina *v* Zie Sara.

Sarissa *v* Zie Sara.

Sarita *v* Zie Sara.

Sascha *m/v* (Slavisch) Koosnaam van Alexander.

Saschia *v* Zie Sascha.

Saskia *v* Waarschijnlijk een afleiding van het Germaanse *Saks*, met als betekenis "de Saksische".

Sassa *v* (Scandinavisch) Zie Sara.

Saul *m* Hebreeuwse naam die "de gevraagde, om wie gebeden is" betekent.

Savina *v* (Spaans) Vrouwelijke vorm afgeleid van Sabinus.

Sawan *m* (Indisch) Betekent "lente".

Scott *m* (Engels) Oorspronkelijk een familienaam met als betekenis "Schot, afkomstig uit Schotland".

Sean *m* (Iers) Variant van de Engel-se naam John (zie Johannes).

Seb *m* Zie Jozef of Sebastiaan.

Sebastiaan *m* Naam die is afgeleid van het Griekse *sebastos* dat "eerbiedwaardig, verheven" betekent.

Sebastian *m* Zie Sebastiaan.

Sebastiano *m* (Italiaans) Zie Sebastiaan.

Sébastien *m* (Frans) Zie Sebastiaan.

Sef *m* Zie Jozef.

Sefried *m* (Duits) Zie Siegfried.

Seger *m* Samenstelling van de Germaanse stamvormen *sîg* (zege, overwinning) en *heri* (leger). Betekenis: "overwinnaar van het leger".

Segio *m* (Spaans) Zie Sergius.

Seino *m* Koosnaam afgeleid van namen met de Germaanse stam *sind* (reis, weg).

Selcan *v* (Turks) De naam betekent "overstroming".

Selda *v* Zie Griselda.

Selena *v* Naam afgeleid van het Griekse *selènè*, dat "maan, glanzend als de maan" betekent.

Selina *v* (Engels) Zie Selena.

Seline *v* Zie Selena of Celine.

Selm *m* Zie Anselmus.

Selma *v* Vrouwelijke vorm afgeleid van Anselmus.

Selwin *m* (Engels) Zie Silvanus.

Selwyn *m* (Engels) Zie Silvanus.

Sem *m* Hebreeuwse naam met als betekenis "vermaard". Sem was de stamvader van de Semieten.

Semina *v* Vrouwelijke vorm afgeleid van Samuel of Simon.

Semjon *m* (Slavisch) Zie Simon.

Sent *m* Zie Vincent.

Senta *v* Vrouwelijke vorm afgeleid
van Vincent.

Seppe *m* Zie Jozef.

Serafien *v* Vrouwelijke vorm van
Serafinus.

Serafinus *m* Gelatiniseerde vorm
van een van oorsprong Hebreeuwse
naam die "edel, vlammend" betekent. De serafijnen zijn in de bijbel
de engelen die bij Gods troon staan.

Serane *v* Zie Serena.

Séraphin *m* (Frans) Zie Serafinus.

Séraphine *v* (Frans) Vrouwelijke
vorm van Serafinus.

Serena *v* Naam afgeleid van het
Latijnse *serenus*, dat "kalm, helder,
opgewekt" betekent.

Serge *m* (Frans) Zie Sergius.

Sergej *m* (Slavisch) Zie Sergius.

Serge-Paul *m* (Frans) Combinatienaam van Sergius en Paulus.

Sergino *m* (Italiaans) Zie Sergius.

Sergio *m* (Italiaans) Zie Sergius.

Sergius *m* Latijnse naam die waarschijnlijk "wachter, dienaar" betekent.

Serona *v* Zie Serena.

Serra *v* (Turks) De oorsprong van
deze naam is onzeker.

Servaas *m* Zie Servatius.

Servatius *m* Naam die is afgeleid
van het Latijnse *servatus* (behouden,
gered). Betekenis: "hij die redt".

Servazio *m* (Italiaans) Zie Servatius.

Servio *m* (Italiaans) Naam die is
afgeleid van het Latijnse *servus*, dat
"slaaf" betekent.

Seth *m* Hebreeuwse naam die "ver-
vanging, schadeloosstelling" betekent.

Seva *v* Vrouwelijke vorm afgeleid
van Jozef.

Séverin *m* (Frans) Zie Severinus.

Séverine *v* (Frans) Vrouwelijke
vorm van Severinus.

Severinus *m* Naam die is afgeleid
van het Latijnse *severus* (streng, ern-
stig).

Sevim *v* (Turks) De naam betekent
"vrolijk".

Seyhan *m* (Turks) De naam betekent "rivier".

Shana *v* (Engels) Zie Shannon.

Shanna *v* (Engels) Zie Shannon.

Shannon *v* (Keltisch) Oorspronkelijk de naam van een rivier met als
betekenis "de oude".

Sharene *v* (Engels) Zie Sharon.

Shari *v* (Engels) Zie Sharon.

Sharif *m* (Arabisch) Naam die
"edelman, prins" betekent.

Sharina *v* Zie Sharon.

Sharon *v* Hebreeuwse naam die
"vlakte" betekent.

Sharona *v* (Engels) Zie Sharon.

Sheila *v* (Engels) Vrouwelijke vorm

die is afgeleid van Caecilius.

Shella *v* Zie Sheila.

Sherida *v* (Engels) Vrouwelijke
vorm van Sheridan.

Sheridan *m* (Engels) Oorspronkelijk
een familienaam.

Sherry *v* (Engels) Variant op de
Franse naam Chérie, met als betekenis "liefje".

Shireen *v* (Engels) De naam kan
een variant zijn van Sharon of van
Sherry. Shireen is ook een Perzische
voornaam.

Shirley *v* (Engels) Oorspronkelijk
een plaatsnaam die "weide behorend aan het graafschap" betekent.

Siard *m* (Fries) Samenstelling van
de Germaanse stamvormen *sîg*
(zege, overwinning) en *hard* (sterk,
dapper). Betekenis: "sterke of dappere overwinnaar".

Sibald *m* Samenstelling van de Germaanse stamvormen *sîg* (zege, overwinning) en *bald* (bout, dapper).
Betekenis: "dappere overwinnaar".

Sibert *m* (Fries) Samenstelling van
de Germaanse stamvormen *sîg*
(zege, overwinning) en *berht* (schitterend). Betekenis: "schitterend door
zege".

Sibil *v* Zie Sibylle.

Sibylle *v* Naam afgeleid van het
Latijnse *sibylla*, dat "waarzegster"
betekent. Ook **Sibille** (Frans)
gespeld.

Sicco *m* Koosnaam afgeleid van
namen met de Germaanse stam *sîg*
(zege, overwinning).

Sid *m* Zie Sidney.

Sida *v* Vrouwelijke vorm afgeleid
van Sidonius.

Sidney *m* (Engels) Oorspronkelijk
een plaatsnaam in Engeland met als
betekenis "wijde, natte weilanden".

Sidoine *m* (Frans) Zie Sidonius.

Sidon *m* Zie Sidonius.

Sidonia *v* Vrouwelijke vorm van
Sidonius.

Sidonie *v* (Frans) Zie Sidonius.

Sidonius *m* Latijnse naam die
"afkomstig uit Sidon" betekent.

Siebe *m* (Fries) Verkorte vorm van
namen met de Germaanse stam *sîg*
(zege, overwinning) en waarvan het
tweede lid met een b- begint, zoals
Siebert of Siebrand.

Siebert *m* (Fries) Zie Sibert.

Siebo *m* (Fries) Zie Siebe.

Siebrand *m* (Fries) Samenstelling
van de Germaanse stamvormen *sîg*
(zege, overwinning) en *brand* (vlammend zwaard). Betekenis: "zwaard
van de overwinning".

Siebren *m* (Fries) Zie Siebrand. Ook
Sybren gespeld.

Siegfried *m* Samenstelling van de
Germaanse stamvormen *sîg* (zege,
overwinning) en *frithu* (vrede). Betekenis: "door zege vrede brengend".

Sieglinde *v* (Duits) Samenstelling

van de Germaanse stamvormen *sîg* (zege, overwinning) en *lind* (slang, schild van lindehout). Betekenis: "zij die de slang overwon".

Siegmar *m* (Duits) Samenstelling van de Germaanse stamvormen *sîg* (zege, overwinning) en *mâr* (vermaard). Betekenis: "vermaard door zijn overwinningen".

Siegmona *v* (Italiaans) Vrouwelijke vorm van Siegmund.

Siegmund *m* (Duits) Samenstelling van de Germaanse stamvormen *sîg* (zege, overwinning) en *mund* (beschermer, voogd).

Siem *m* Zie Simon.

Siemen *m* Zie Simon.

Sien *v* Zie Geertruida of vrouwelijke vorm afgeleid van Nicolaas, Franciscus of Jozef.

Sieska *v* Vrouwelijke vorm afgeleid van Franciscus.

Siet *m/v* (Fries) Verkorte vorm van namen met de Germaanse stam *sind* (reis, weg) of van de naam **Sigitet**, de "overwinningsvreugde".

Sieta *v* (Fries) Zie Siet.

Sietse *m* (Fries) Zie Siet.

Sietske *v* (Fries) Zie Siet.

Sigga *v* (Scandinavisch) Zie Sigrid.

Siggi *m* (Duits) Zie Siegfried.

Sigismonda *v* (Italiaans) Vrouwelijke vorm afgeleid van Siegmund.

Sigismondo *m* (Italiaans) Zie Siegmund.

Sigri *v* (Scandinavisch) Zie Sigrid.

Sigrid *v* (Scandinavisch) Samenstelling van de Germaanse stamvormen *sîg* (zege, overwinning) en *rîdan* (rijden). Betekenis: "zegevierende rijdster" of "zij die naar de overwinning rijdt".

Sigurd *m* (Scandinavisch) Samenstelling van de Germaanse stamvormen *sîg* (zege, overwinning) en *wardan* (hoeden, beschermen).

Sika *v* (Scandinavisch) Koosnaam afgeleid van namen met de Germaanse stam *sîg* (zege, overwinning).

Sil *m* (Fries) De herkomst van de naam is onzeker. Het zou kunnen gaan om een verkorte vorm van namen met de Germaanse stam *sîg* (zege, overwinning).

Silke *m/v* (Fries) Zie Sil.

Silva *v* Zie Silvia.

Silvan *m* Zie Silvanus.

Silvana *v* Vrouwelijke vorm van Silvanus.

Silvano *m* (Italiaans) Zie Silvanus.

Silvanus *m* Naam die is afgeleid van het Latijnse *silva* (bos, woud). Betekenis: "heerser over het woud".

Silvester *m* Naam die is afgeleid van het Latijnse *silvestris*, dat "afkomstig uit het woud" betekent.

Silvestre *m* (Frans) Zie Silvester.

Silvia *v* Naam afgeleid van het Latijnse *silva*, dat "bos" betekent.

Silvie *v* Zie Silvia.

Silvina *v* (Italiaans) Vrouwelijke vorm van Silvanus.

Silvio *m* (Italiaans) Zie Silvanus.

Sim *m* Zie Simon.

Sima *m* (Slavisch) Zie Simon.

Simeon *m* Naam die is afgeleid van het Hebreeuwse *sjema(ng)*, dat "luisteren, verhoren" betekent. Ook **Siméon** (Frans) gespeld.

Simon *m* Griekse vorm van Simeon. Of een variant van de Griekse naam **Simoon**, die "met een stompe neus" betekent.

Simone *v* (Frans) Vrouwelijke vorm van Simon.

Simonetta *v* (Italiaans) Vrouwelijke vorm afgeleid van Simon.

Sindy *v* (Engels) Zie Cynthia of Lucinda. Ook **Cindy** gespeld.

Sinta *v* Zie Cynthia.

Siri *v* (Scandinavisch) Zie Sigrid.

Sissie *v* Vrouwelijke vorm afgeleid van Caecilius.

Sisto *m* (Italiaans) Naam die is afgeleid van het Latijnse *sextus* (de zesde).

Sjaak *m* Zie Jakob.

Sjaco *m* Zie Jakob.

Sjan *m/v* Zie Johannes.

Sjef *m* Zie Jozef.

Sjimmie *m* Zie James of Jakob.

Sjoerd *m* (Fries) Samenstelling van de Germaanse stamvormen *sîg* (zege, overwinning) en *wardan*

(behoeden). Betekenis: "behoeder van de zege".

Sjors *m* Zie George.

Soeteken *v* Vlaamse afleiding van het woord *zoet*, in de betekenis van "aardig, gehoorzaam".

Soetkin *v* Zie Soeteken.

Sofia *v* Ook **Sophia** of **Sophie** (Frans) gespeld. Naam afgeleid van het Griekse *sophia*, dat "(levens)wijsheid" betekent.

Sofie *v* Zie Sofia.

Solange *v* (Frans) Naam die is afgeleid van het Latijnse *solemnis*, dat "plechtig" betekent.

Solco *m* Zie Solko.

Solko *m* Koosnaam afgeleid van namen met de Germaanse stam *sal* (zaal).

Solveig *v* (Scandinavisch) Samenstelling van de Germaanse stamvormen *sal* (zaal) en *wîg* (strijd). Betekenis: "strijdster voor de zaal".

Sonja *v* (Slavisch) Ook **Sonia** gespeld. Zie Sofia.

Sonny *m* (Engels) Letterlijk "zoontje".

Sophie *v* Zie Sofia.

Sora *v* Zie Zora.

Soraya *v* (Perzisch) Betekent "de goede vorstin".

Sören *m* (Scandinavisch) Zie Severinus.

Sosse *v* Vrouwelijke vorm van Jozef.

Sownja *v* (Slavisch) Zie Sofia.

Spencer *m* (Engels) Oorspronkelijk een familienaam die is afgeleid van het Oudfranse *dispenser* (uitgeven).

Staaf *m* Zie Gustaaf.

Stacey *v* (Engels) Zie Anastasia of vrouwelijke vorm van Eustachius.

Staf *m* Zie Gustaaf.

Stan *m* (Engels) Zie Stanley of Stanislaus.

Stan *m* Zie Constans, Stanley of Stanislaus.

Stance *v* Vrouwelijke vorm afgeleid van Constans.

Stanis *m* Zie Stanislaus.

Stanislao *m* (Italiaans) Zie Stanislaus.

Stanislas *m* Zie Stanislaw.

Stanislaus *m* Gelatiniseerde vorm van Stanislaw.

Stanislaw *m* (Slavisch) Samenstelling van het Oudslavische *stani* (standvastigheid) en *slava* (roem). Betekenis: "roem door standvastigheid".

Stanley *m* (Engels) Oorspronkelijk een plaatsnaam die "steenachtige open plek in het bos" betekent. Later familienaam en voornaam.

Stasi *v* (Duits) Vrouwelijke vorm afgeleid van Anastasius.

Stef *m* Zie Stefanus.

Stefan *m* Zie Stefanus.

Stefanida *v* (Slavisch) Vrouwelijke vorm afgeleid van Stefanus.

Stefano *m* (Italiaans) Zie Stefanus.

Stefanus *m* Naam die is afgeleid van het Griekse *stephanos*, dat "(zege)krans" betekent.

Steffen *m* Zie Stephan.

Steffie *v* Vrouwelijke vorm afgeleid van Stefanus.

Steffina *v* Vrouwelijke vorm afgeleid van Stefanus.

Stein *m* (Scandinavisch) Verkorte vorm van namen met de Germaanse stam *stên* (steen).

Steina *v* (Scandinavisch) Vrouwelijke vorm van Stein.

Stella *v* Latijnse naam die "ster" betekent.

Stellan *m* (Scandinavisch) Waarschijnlijk betekent de naam "zich iets toeëigenen".

Sten *m* (Scandinavisch) Zie Stein.

Stenka *m/v* (Slavisch) Zie Stein.

Stepan *m* (Slavisch) Zie Stephan.

Stephan *m* (Duits) Zie Stefanus.

Stéphane *m/v* (Frans) Zie Stefanus.

Stephanie *v* Vrouwelijke vorm van Stefanus. Ook **Stéphanie** (Frans) gespeld.

Stephen *m* (Engels) Zie Stefanus. Ook **Stéphen** (Frans) gespeld.

Stepka *m* (Slavisch) Zie Stephan.

Stepko *m* (Slavisch) Zie Stephan.

Sterre *v* Middelnederlandse naam van de Latijnse naam Stella.

Steve *m* (Engels) Zie Stefanus.

Steven *m* Zie Stefanus.

Stien *v* Vrouwelijke vorm afgeleid

van Christiaan. Zie aldaar.

Stijn *m* Zie Christiaan of Augustus.

Stoffel *m* Zie Christoforus.

Stuart *m* (Engels) Naam afgeleid van het Oudengelse *stigweard*, dat "hofmeester, huisbewaarder" betekent. Oorspronkelijk was dit de naam van de Schotse koninklijke familie.

Sue *v* (Engels) Zie Susanna.

Sue-Ann *v* (Engels) Combinatienaam van Sue en Anna.

Suleika *v* (Arabisch) Betekent "verleidster".

Sunanda *v* (Indisch) Betekent "kind van de zon".

Sunny *m/v* (Engels) Zie Sonny.

Suraya *v* (Indisch) Zie Soraya.

Surinde *v* (Indisch) De naam betekent "wolk".

Susa *v* (Italiaans) Zie Susanna.

Susan *v* Zie Susanna.

Susanka *v* (Slavisch) Zie Susanna.

Susanna *v* Ook **Susannah** gespeld. Hebreeuwse naam die "lelie" betekent. De uitdrukking "een kuise Susanna" betekent "een eerbaar meisje".

Susanne *v* Zie Susanna.

Suse *v* Zie Susanna.

Susen *v* (Scandinavisch) Zie Susanna.

Suzanne *v* Zie Susanna.

Suzette *v* (Frans) Zie Susanna.

Suzie *v* Zie Susanna.

Sven *m* (Scandinavisch) Naam die is afgeleid van het Oudnoorse *sveinn*, "jongen, knecht".

Svend *m* (Scandinavisch) Zie Sven.

Sverre *m* (Scandinavisch) Naam die is afgeleid van het Oudnoorse *sverrir*, dat "hij die doet ronddraaien" betekent.

Sweder *m* Samenstelling van de Germaanse stamvormen *swinth* (gezwind, snel, sterk) en *heri* (leger) of *hard* (sterk, dapper). Betekenis: "de sterke of dappere in het leger".

Swen *m* (Scandinavisch) Zie Sven.

Swinda *v* Koosnaam afgeleid van namen met de Germaanse stam *swinth* (gezwind, snel, sterk).

Sybe *m* Zie Siebe.

Sybren *m* Zie Siebrand.

Sylke *v* Vrouwelijke vorm afgeleid van Sil.

Sylvain *m* (Frans) Zie Silvanus.

Sylvaine *v* (Frans) Vrouwelijke vorm van Sylvain.

Sylvester *m* Zie Silvester. Ook **Sylvestre** (Frans) gespeld.

Sylvi *v* (Scandinavisch) Vrouwelijke vorm afgeleid van Silvanus.

Sylvia *v* (Scandinavisch) Vrouwelijke vorm afgeleid van Silvanus. Ook **Sylvie** (Frans) gespeld.

Sytske *v* Zie Sietse.

Szabina *v* (Hongaars) Vrouwelijke vorm afgeleid van Sabinus.

Szilárd *m* (Hongaars) Zie Constantijn.

t

Tabe *m* (Fries) Verkorte vorm van namen samengesteld uit het Germaanse *diet* (volk) en een tweede lid dat begint met *b-*, zoals *berht* (schitterend).

Taco *m* (Fries) Zie Diede.

Taher *m* (Arabisch) De naam betekent "zuivere".

Tahira *v* (Arabisch) Vrouwelijke vorm van Taher.

Taina *v* (Fins) Zie Tanja.

Tale *m* Zie Tjalle.

Talia *v* Zie Thalia of vrouwelijke vorm van Vitalis.

Talis *m* Zie Vitalis.

Talitha *v* Bijbelse naam van Aramese oorsprong, met als betekenis "meisje".

Tama *v* (Fries) Zie Tamar of vrouwelijke vorm van Tame.

Tamar *v* Hebreeuwse naam die "palmboom, dadelpalm" betekent.

Tamara *v* (Slavisch) Zie Tamar.

Tamás *m* (Hongaars) Zie Thomas.

Tame *m* (Fries) Verkorte vorm van namen met de Germaanse stam *dank* (gedachte, geest) en een tweede lid dat met een *m-* begint, zoals *mâr* (vermaard).

Tamino *m* Naam die is afgeleid van het Griekse *tamias*, dat "heer, gebieder" betekent. Tamino is de jonge prins in Mozarts opera "De toverfluit".

Tamira *v* Zie Tamar.

Tammes *m* (Scandinavisch) Zie Thomas.

Tammo *m* Zie Tame.

Tamra *v* Zie Tamar.

Tanacha *v* Zie Tancha.

Tancha *v* Verkorte vorm van namen met de Germaanse stam *dank* (gedachte, geest).

Tania *v* (Spaans) Zie Tatiana.

Tanja *v* Zie Tatiana.

Tannie *v* Koosnaam afgeleid van verkorte namen met de Germaanse stam *dank* (gedachte, geest).

Tantra *v* (Indisch) Een naam uit het Sanskriet die letterlijk "leer, voorbeeld" betekent.

Taomara *v* Zie Tamar.

Tara *v* (Keltisch) Zie Tamar.

Tari *v* Zie Tara.

Tariq *m* (Arabisch) Naam die is afgeleid van *Tariqah* (weg, pad). De tariqah is het geestelijk pad dat moslims volgen op zoek naar kennis van God en de werkelijkheid.

Tasja *v* (Slavisch) Zie Natalia of vrouwelijke vorm afgeleid van Anastasius.

Tatiana *v* (Slavisch) Vrouwelijke vorm van de Latijnse naam Tatianus, die is afgeleid van de Romeinse familienaam Tatius. Mogelijk is er een verband met *tata* (vadertje).

Tatjana *v* Zie Tatiana.

Tauri *m* Naam die is afgeleid van het Latijnse *taurus* (stier). Taurus is

de astrologische naam van het ster-
renbeeld de Stier.

Taziana *v* (Italiaans) Zie Tatiana.

Tebaldo *m* (Italiaans) Zie Theobald.

Tebbes *m* (Fries) Zie Tabe.

Ted *m* (Engels) Zie Theodorus of
Edward.

Teddy *m* (Engels) Zie Theodorus of
Edward.

Teja *v* Zie Thea of Theresia.

Tejo *m* Zie Theo of Mattheus.

Tenne *m* (Fries) Verkorte vorm van
namen met de Germaanse stam *dank*
(gedachte, geest).

Teo *m* Zie Theo.

Teobaldo *m* (Italiaans) Zie Theobald.

Teodor *m* (Scandinavisch) Zie
Theodorus.

Teodora *v* (Italiaans) Vrouwelijke
vorm van Theodorus.

Teon *m* Combinatienaam van Theo
en Jon.

Tera *v* Zie Theresia.

Terence *m* Zie Terentius.

Terentius *m* Oorspronkelijk een
Romeinse familienaam die mogelijk
verband houdt met het Latijnse
terenus (zacht).

Teresa *v* (Spaans) Zie Theresia. Ook
Térésa (Frans) gespeld.

Terezie *v* (Slavisch) **Terézie** (Hongaars) Zie Theresia.

Terka *v* (Hongaars) Zie Theresia.

Terrance *m* (Engels) Zie Terence.

Terrenc *m* (Engels) Zie Terence.

Terry *m* (Engels) Zie Thierry of
Terence.

Tess *v* (Engels) Zie Theresia.

Tessa *v* (Engels) Zie Theresia.

Tessie *v* Zie Theresia.

Teun *m* Zie Antonius.

Teunis *m* Zie Antonius.

Teus *m* Zie Antonius of Mattheus.

Thalia *v* Naam die is afgeleid van
het Griekse *thallein*, dat "uitlopen,
bloeien" betekent. In de Griekse
mythologie is Thalia een van de drie
gratiën. De Griekse Thaleia is de
muze van het blijspel.

Thea *v* Zie Dorothea.

Thedor *m* Zie Theodorus.

Theo *m* Zie Theodorus.

Theobald *m* Naam die onder
invloed van het Grieks werd
gevormd uit de Germaanse naam
Dietbald (zie aldaar).

Theodoor *m* Zie Theodorus.

Theodora *v* Vrouwelijke vorm van
Theodore.

Theodore *m* (Engels) Zie Theodorus.

Théodore *m* (Frans) Zie Theodorus.

Theodoro *m* (Italiaans) Zie Theodorus.

Theodorus *m* Samenstelling van het
Griekse *theós* (God) en *doron*
(geschenk). Betekenis: "geschenk
van God".

Theodosius *m* Een van oorsprong

Griekse naam die "door God gegeven" betekent.

Theofilus *m* Griekse naam die "vriend van God" betekent.

Thera *v* Zie Theresia.

Theresa *v* (Engels) Zie Theresia.

Thérèse *v* (Frans) Zie Theresia.

Theresia *v* De betekenis van deze naam is onzeker. Hij kan zijn afgeleid van het Griekse *theros* (warmte, zomer) maar ook van het Griekse *thèraein* (jagen). De naam kan ook betekenen "bewoonster van het eiland Thera" (nu Santorini) of "bewoonster van Therasia".

Thessa *v* (Engels) Zie Theresia.

Theunis *m* Zie Antonius.

Thibaud *m* (Frans) Zie Dietbald. Ook **Thibaut** gespeld.

Thieme *m* Zie Tiemen.

Thierry *m* (Frans) Zie Diederik.

Thies *m* Zie Matthias.

Thijs *m* Zie Matthias.

Thimo *m* Zie Timo.

Thinka *v* Zie Katinka.

Thirza *v* Hebreeuwse naam die "lieflijkheid, bekoorlijkheid" betekent.

Thirze *v* Zie Thirza.

Thom *m* Zie Thomas.

Thomas *m* Een van oorsprong Aramese naam die "de tweeling(broeder)" betekent.

Thorold *m* (Scandinavisch) Zie Thorwald.

Thorstein *m* (Scandinavisch) Zie Thorsten.

Thorsten *m* (Scandinavisch) Samenstelling van *Thor*, de dondergod uit de Scandinavische mythologie, en de Germaanse stam *stein* (steen, wapen). Betekenis: "wapen van Thor".

Thorwald *m* (Scandinavisch) Samenstelling van *Thor*, de dondergod uit de Scandinavische mythologie, en de Germaanse stam *wald* (heersen). Betekenis: "de heerser Thor".

Thyne *m* Zie Tinus.

Thyra *v* (Scandinavisch) Gelatiniseerde vorm van de Ouddeense naam *Thyrvi*, een samenstelling van *Thor*, de dondergod uit de Scandinavische mythologie, en de Germaanse stam *vîg* (strijd). Betekenis: "strijd of strijdster van Thor".

Tia *v* Zie Laetitia, Lucretia of vrouwelijke vorm afgeleid van Titus.

Tianda *v* Zie Tia.

Tiberius *m* Latijnse naam afgeleid van de riviernaam Tiber.

Tibor *m* (Hongaars) Zie Tiberius.

Tideman *m* Samenstelling van de Germaanse stamvormen *diet* (volk) en *man* (man). Betekenis: "man van het volk".

Tido *m* Zie Diede.

Tiede *m* (Fries) Zie Diede.

Tiele *m* (Fries) Koosnaam afgeleid

van namen met de Germaanse stam *diet* (volk) of het Oudfriese *til* (goed, deugdelijk).

Tieleman *m* Samenstelling van de Germaanse stamvormen *diet* (volk) en *man* (man). Betekenis: "man van het volk".

Tiemen *m* Zie Tideman.

Tiemke *v* Zie Tideman.

Ties *m* (Fries) Zie Matthias.

Tijl *m* Vlaamse naam die ontstaan is uit de oude naam *Dietilo*, een koosnaam afgeleid van namen met de Germaanse stam *diet* (volk). Heel bekend is Tijl Uilenspiegel.

Til *v* Zie Mathilde.

Tila *v* (Fries) Vrouwelijke vorm van Tiele.

Tilde *v* Zie Mathilde.

Tilly *v* Zie Mathilde.

Tilo *m* (Duits) Zie Diederik.

Tim *m* Zie Timotheus.

Timo *m* Zie Timotheus.

Timofej *m* (Slavisch) Zie Timotheus.

Timon *m* Naam die is afgeleid van het Griekse *timè*, dat "eer" betekent.

Timotheus *m* Samenstelling van het Griekse *timè* (eer) en *theos* (god). Betekenis: "ter ere van God".

Timothy *m* (Engels) Zie Timotheus.

Tina *v* Zie Catharina of vrouwelijke vorm afgeleid van Christiaan of Martinus.

Tine *v* Zie Tina.

Tineke *v* Zie Catharina of vrouwelijke vorm afgeleid van Christiaan of Martinus.

Tinka *v* Zie Catharina.

Tino *m* Zie Martinus of Valentino.

Tinus *m* Zie Martinus.

Tiny *v* Zie Catharina.

Tirina *v* Zie Catharina.

Tirza *v* Zie Thirza.

Tist *m* Zie Baptist.

Titia *v* (Fries) Zie Laetitia.

Titiana *v* Zie Titia of vrouwelijke vorm van Titus.

Titus *m* Latijnse naam die waarschijnlijk "wilde duif" betekent.

Tjaard *m* (Fries) Samenstelling van de Germaanse stamvormen *diet* (volk) en *wardan* (beschermen). Betekenis: "beschermer van het volk".

Tjaarda *v* (Fries) Vrouwelijke vorm van Tjaard.

Tjabbe *m* (Fries) Zie Tabe.

Tjabine *v* (Fries) Vrouwelijke vorm afgeleid van Tabe.

Tjalle *m* (Fries) Verkorte vorm van namen die beginnen met de Germaanse stam *diet* (volk) en met als tweede lid een woord dat met *l*-begint.

Tjamko *m* (Fries) Zie Tame.

Tjardo *m* (Fries) Zie Tjaard.

Tjebbe *m* (Fries) Zie Tabe.

Tjerk *m* (Fries) Zie Diederik.

Tjerry *m* Zie Thierry of Tjerk.

Tjeu *m* Zie Mattheus.

Tjibbe *m* (Fries) Zie Tabe.

Tjores *m* Zie Theodorus.

Tobi *m* (Duits) Zie Tobias.

Tobias *m* Hebreeuwse naam afgeleid van *tobijjah* (God is goed).

Tobie *m* Zie Tobias.

Toby *m* (Engels) Zie Tobias.

Toin *m* Zie Antonius.

Tom *m* Zie Thomas.

Toma *m* (Slavisch) Zie Thomas.

Tomas *m* (Scandinavisch, Spaans)

Tomás (Slavisch) Zie Thomas.

Tomaso *m* (Italiaans) Zie Thomas.

Tommaso *m* (Italiaans) Zie Thomas.

Tommie *m* Zie Thomas.

Tommy *m* (Engels) Zie Thomas.

Ton *m* Zie Antonius.

Toni *m* Zie Antonius.

Tonia *v* Vrouwelijke vorm afgeleid van Antonius.

Tonio *m* (Italiaans, Spaans) Zie Antonius.

Tonnis *m* (Fries) Zie Antonius.

Tonny *m/v* Zie Antonius.

Toon *m* Zie Antonius.

Toos *v* Vrouwelijke vorm afgeleid van Antonius.

Toria *v* Zie Victoria.

Torstein *m* (Scandinavisch) Zie Thorsten.

Torsten *m* Zie Thorsten.

Tosca *v* (Italiaans) Betekent "het meisje uit Toscane".

Toste *m* (Scandinavisch) Zie Thorsten.

Totte *m* (Scandinavisch) Zie Thorsten.

Trea *v* Zie Theresia.

Trees *v* Zie Theresia.

Trevor *m* (Keltisch) Het Welse *trefor* betekent "hofstede aan zee" of "grote hofstede".

Trijn *v* Zie Catharina.

Trine *v* Zie Catharina.

Trinette *v* (Frans) Zie Catharina.

Tristan *m* (Keltisch) Kan verband houden met het Keltische *drystan* (lawaai, wapengekletter), maar ook met het Franse woord *triste* (triest, droevig), of met de Scandinavische naam Thorsten. De naam raakte bekend door de Keltische sage "Tristan en Isolde".

Tristel *v* Zie Kristel of vrouwelijke vorm afgeleid van Tristan.

Tristen *m* Zie Tristan.

Triston *m* Zie Tristan.

Trix *v* Zie Beatrix.

Trude *v* Zie Geertruida.

Trudo *m* Verkorte vorm van namen met de Germaanse stam *thrudh* (kracht).

Trudie *v* Zie Geertruida.

Truus *v* Zie Catharina of Geertruida.

Twan *m* Zie Antoine.

Tycho *m* Naam die is afgeleid van het Griekse *tuchè*, "geluk". In de Griekse mythologie is Tyche de godin van het toeval, van het lot.

U

Ubbe *m* (Fries) Koosnaam afgeleid van de Germaanse naam *Odalbert*, met als betekenis "schitterend door zijn erfgrond".

Ubbo *m* Zie Ubbe.

Udo *m* (Duits) Zie Ode.

Ueli *m* (Zwitsers) Zie Ulrich.

Ugolino *m* (Italiaans) Zie Hugo.

Ulbe *m* (Fries) Zie Ubbe.

Ulco *m* (Fries) Zie Oele of Oldrik.

Ulf *m* (Duits) Zie Wolfgang.

Uli *m* (Duits) Zie Ulrich.

Ulinda *v* Zie Olinda.

Uljana *v* (Slavisch) Vrouwelijke vorm afgeleid van Julius.

Ulla *v* (Duits) Zie Ursula of vrouwelijke vorm afgeleid van Ulrich.

Ulrich *m* (Duits) Samenstelling van de Germaanse stamvormen *ôdal* (erfgrond, bodem) en *rîk* (rijk, machtig). Betekenis: "machtig door zijn erfgrond".

Ulrik *m* (Duits) Zie Ulrich.

Ulrika *v* (Duits) Vrouwelijke vorm van Ulrich.

Ulrike *v* (Duits) Vrouwelijke vorm van Ulrich.

Ulyssa *v* Zie Ulysses.

Ulysses *m* Latijnse naam van de Griekse held Odysseus.

Umberto *m* (Italiaans) Zie Humbert.

Undine *v* (Duits) Naam die is afgeleid van het Latijnse *unda*, dat "golf" of "watergeest" betekent.

Urania *v* Naam afgeleid van het Griekse *ouranos*, dat "hemel" betekent. In de Griekse mythologie is Urania de muze van de sterrenkunde.

Urbain *m* (Frans) Zie Urbanus.

Urbanus *m* Latijnse naam die letterlijk "van de stad, stadsbewoner" betekent.

Uri *m* Zie Uriel.

Uriel *m* Hebreeuwse naam die "vuur van God" betekent. Uriel is een van de aartsengelen, de engel van angst, profetie en mysterie.

Urielle *v* (Frans) Zie Uriel.

Ursel *v* (Duits) Zie Ursula.

Ursina *v* (Duits) Zie Ursula.

Ursio *m* (Italiaans) Naam afgeleid van het Latijnse *ursus*, dat "beer" betekent.

Ursola *v* (Spaans) Zie Ursula.

Ursula *v* Naam afgeleid van het Latijnse *ursus*, dat "beer" betekent.

Ursule *v* (Frans) Zie Ursula.

Uschi *v* (Duits) Zie Ursula.

Vaclav *m* (Slavisch) Zie Wenceslaus.

Valeer *m* Zie Valerius.

Valente *m* (Italiaans) Zie Valentinus.

Valentijn *m* Zie Valentinus.

Valentin *m* (Frans, Duits) Zie Valentinus.

Valentina *v* Vrouwelijke vorm van Valentinus.

Valentine *v* (Frans) Vrouwelijke vorm van Valentin.

Valentino *m* (Italiaans) Zie Valentinus.

Valentinus *m* Naam die is afgeleid van het Latijnse *valens*, dat "krachtig, sterk, gezond" betekent. De Heilige Valentinus wordt gevierd op 14 februari, bekend als Valentijnsdag.

Valère *m* (Frans) Ook **Valéry** gespeld. Zie Valerius.

Valerie *v* Ook **Valérie** (Frans) gespeld. Vrouwelijke vorm van Valerius.

Valerio *m* (Italiaans) Zie Valerius.

Valerius *m* Romeinse familienaam afgeleid van het Latijnse *valere*, dat "sterk zijn" betekent.

Valeska *v* (Slavisch) Vrouwelijke vorm afgeleid van Valerius.

Vandita *v* Zie Wanda.

Vanessa *v* (Engels) Fantasienaam door Jonathan Swift (1667-1745) gebruikt in zijn werk "Cadenus and Vanessa".

Vanity *v* (Engels) Deze naam betekent letterlijk "ijdelheid".

Vanja *v* (Scandinavisch) Vrouwelijke vorm afgeleid van Johannes.

Varsha *v* (Indisch) De naam betekent "regen, jaar".

Vasil *m* (Slavisch) Zie Basilius.

Veerle *v* Zie Farahilde.

Venance *v* (Engels, Frans) Vrouwelijke vorm van Venantius, een naam die is afgeleid van het Latijnse *venari* (jagen).

Vera *v* (Slavisch) Naam die is afgeleid van het Russische *vjera* (geloof, vertrouwen). De naam kan ook een verkorte vorm zijn van Veronica of Divera.

Verena *v* Naam die waarschijnlijk is afgeleid van het Latijnse *vereri* (eerbied hebben, ontzag hebben, schromen). Betekenis: "de schroomvallige".

Vergilius *m* Romeinse familienaam waarvan de betekenis onzeker is.

Verna *v* Zie Veronica.

Verner *m* Zie Werner.

Veroline *v* Combinatienaam van Veronica en Carolina.

Veronia *v* (Zwitsers) Zie Veronica.

Veronica *v* Naam die is afgeleid van het Griekse *pherenikè*, dat "zegebrengster" betekent. In de Middeleeuwen werd de naam ook wel verklaard als *vera-iconica*, wat betekent "de ware beeltenis (van Christus)".

Veronie *v* Zie Veronica.

Veroniek *v* Zie Veronica. Ook **Veronique** gespeld.

Véronique *v* (Frans) Zie Veronica.

Veruschka *v* (Slavisch) Zie Vera.

Vester *m* Zie Silvester.

Veva *v* Zie Genoveva.

Vianette *v* (Frans) Zie Vianey.

Vianney *m* (Frans) Oorpronkelijk een plaatsnaam (Vianney) die verband houdt met het Latijnse *via* (weg). Ook **Vianey** gespeld.

Vic *m* Zie Victor.

Vicco *m* (Italiaans) Zie Victor.

Vicky *v* (Engels) Zie Victoria.

Vico *m* (Italiaans) Zie Victor.

Victor *m* Het Latijnse *victor* betekent "overwinnaar". De vrouwelijke vorm Victoria betekent "overwinning".

Victoria *v* Vrouwelijke vorm van Victor.

Victorin *m* (Frans) Zie Victor.

Victorine *v* (Frans) Zie Victoria.

Viefke *v* Zie Genoveva.

Vien *m* Zie Lieven.

Viene *v* Vrouwelijke vorm afgeleid van Jozef.

Vieve *v* Zie Genoveva.

Vigelmina *v* (Slavisch) Vrouwelijke vorm afgeleid van Wilhelm.

Viggio *m* (Italiaans) Zie Victor.

Vikas *m* Zie Lodewijk.

Viktor *m* Zie Victor.

Vilem *m* (Slavisch) Zie Wilhelm.

Vilema *v* (Slavisch) Vrouwelijke vorm afgeleid van Wilhelm.

Viletta *v* Zie Viola.

Vilgelm *m* (Slavisch) Zie Wilhelm.

Vilma *v* (Hongaars) Vrouwelijke vorm afgeleid van Wilhelm.

Vilmar *m* (Duits) Samenstelling van de Germaanse stamvormen *felu* (veel, zeer) en *mâr* (vermaard). Betekenis: "zeer vermaard".

Vilmos *m* (Hongaars) Zie Wilhelm.

Vinanda *v* Vrouwelijke vorm afgeleid van Wijnand.

Vinay *m* (Frans) Oorspronkelijk een plaatsnaam en een familienaam, afgeleid van het Latijnse *vinetum*, dat "wijngaard" betekent.

Vince *m* (Engels) Zie Vincent.

Vincent *m* (Engels, Frans) Naam die is afgeleid van het Latijnse werkwoord *vincere*, dat "overwinnen" betekent.

Vincente *m* (Italiaans) Zie Vincent.

Vincenzo *m* (Italiaans) Zie Vincent.

Viola *v* Latijnse plantennaam voor het "viooltje".

Violetta *v* (Italiaans) Zie Viola.

Violette *v* (Frans) Zie Viola.

Vir *v* Zie Virginia.

Virge *v* Zie Virginia.

Virgil *m* (Engels) Zie Vergilius.

Virginia *v* Naam die is afgeleid van de Romeinse familienaam *Verginius* of *Virginius*, waarvan de betekenis onzeker is. Vroeger meende men dat de naam verband hield met het

Latijnse *virgo*, dat "jonkvrouw"
betekent.
Virginie *v* (Frans) Zie Virginia.
Virna *v* (Italiaans) Zie Virginia.
Vit *m* (Slavisch) Zie Victor.
Vita *v* Zie Victoria of vrouwelijke
vorm van Vitalis.
Vital *m* Zie Vitalis.
Vitalis *m* Latijnse naam die "levens-
krachtig" betekent.
Vitas *m* Zie Vitalis.
Vitja *m* (Slavisch) Zie Victor.
Vitto *m* (Italiaans) Zie Victor.
Vittore *m* (Italiaans) Zie Victor.
Vittorino *m* (Italiaans) Zie Victor.
Vivanne *v* Zie Vivian.
Vivian *m*/*v* (Engels), *m* (Frans) Ook
Vivien gespeld. Naam die is afge-
leid van het Latijnse *vivus*, dat
"levend" betekent.
Viviane *v* (Frans) In de Keltische
ridderromans is Viviane de fee die
de tovenaar Merlijn gevangen hield.

Viviano *m* (Italiaans) Zie Vivian.
Vivien *v* (Engels), *m* (Frans) Zie
Vivian.
Vladimir *m* (Slavisch) De naam
betekent "vermaard heerser". Verge-
lijk met de naam Waldemar.
Volkan *m* (Turks) De naam betekent
"wolk".
Volker *m* Zie Folker.
Volkert *m* (Duits) Zie Volkhart.
Volkhart *m* (Duits) Samenstelling
van de Germaanse stamvormen *folk*
(volk, krijgsvolk) en *hard* (sterk,
dapper). Betekenis: "sterk of dapper
(krijgs)volk".
Volmer *m* Samenstelling van de
Germaanse stamvormen *folk* (volk,
krijgsvolk) en *mâr* (vermaard). Bete-
kenis: "vermaard bij het volk".
Vosmar *m* Zie Volmer.
Vreni *v* (Zwitsers) Zie Verena.
Vroon *v* Zie Veronica.

W

Wabe *m* (Fries) Verkorte vorm van Walbert.

Walbert *m* Samenstelling van de Germaanse stamvormen *wald* (heersen) en *berht* (schitterend). Betekenis: "schitterende heerser".

Walda *v* (Fries) Vrouwelijke vorm afgeleid van Walter.

Waldemar *m* (Duits) Samenstelling van de Germaanse stamvormen *wald* (heersen) en *mâr* (vermaard). Betekenis: "de vermaarde heerser".

Waldo *m* (Fries) Zie Walter.

Waldo *m* (Duits) Zie Waldemar.

Wallace *m* (Engels) Naam die is afgeleid van het Germaanse *walha*, dat "vreemde" betekent.

Wally *m/v* Zie Walter of Wallace.

Walt *m* (Engels) Zie Walter.

Walter *m* Samenstelling van de Germaanse stamvormen *wald* (heersen) en *heri* (leger). Betekenis: "heerser over het leger".

Wanda *v* (Slavisch) Naam die betekent "de Wendische, de Slavische". *Wenden* is de Germaanse naam voor de Slaven.

Wander *m* (Fries) Samenstelling van de Germaanse stamvormen *warin* (acht slaan op, beschermen) en *heri* (leger). Betekenis: "beschermer van het leger".

Wanita *v* (Indisch) De naam betekent letterlijk "uit het woud".

Wanja *m* (Slavisch) Zie Johannes.

Wannes *m* Zie Johannes.

Ward *m* Zie Edward.

Warden *m* Zie Edward.

Warnar *m* Zie Werner.

Warsha *v* (Indisch) Zie Varsha.

Wassili *m* (Slavisch) Zie Basilius.

Wastel *m* (Duits) Zie Sebastiaan.

Wayne *m* (Engels) Oorspronkelijk een familienaam die "de wagenmaker" betekent.

Wazlav *m* (Slavisch) Zie Wenceslaus.

Welant *m* (Duits) Zie Wieland.

Wellemina *v* (Duits) Vrouwelijke vorm van Wilhelm.

Welmoed *v* Samenstelling van de Germaanse stamvormen *wilja* (wil, wens) en *môd* (gemoed). Betekenis: "met een wilskrachtig gemoed".

Wenceslaus *m* (Slavisch) De naam betekent "erekrans" of "met roem bekroonde held".

Wenda *v* (Engels) Zie Wendy of vrouwelijke vorm afgeleid van Wendel.

Wendel *m* De Germaanse naam Wendel is de volksnaam voor de Vandalen.

Wendelien *v* Vrouwelijke vorm van Wendel.

Wendy *v* (Engels) Een fantasienaam gecreëerd door J.M. Barry voor zijn Peter Pan, uit het kinderrijmpje "friendy-wendy".

Wenske *v* Koosnaam afgeleid van

namen met de Germaanse stam
warin (acht slaan op, beschermen).
De naam kan ook een afleiding zijn
van het Nederlandse woord *wensen*.
Wernard *m* Samenstelling van de
Germaanse stamvormen *warin* (acht
slaan op, beschermen) en *hard*
(sterk, dapper). Betekenis: "dappere
beschermer".
Werner *m* (Duits) Samenstelling van
de Germaanse stamvormen *warin*
(acht slaan op, beschermen) en *heri*
(leger). Betekenis: "beschermer van
het leger".
Wesley *m* (Engels) Oorspronkelijk
een plaatsnaam en een familienaam
met als betekenis "westelijke
weide".
Wessel *m* (Duits, Fries) Zie Werner.
Wetzel *m* (Duits) Zie Werner.
Whipple *v* (Engels) Zie Wibe.
Wia *v* (Fries) Koosnaam afgeleid
van namen met de Germaanse stam
wîg (strijd) of *wîthjan* (wijden).
Wianka *v* Zie Wia.
Wianne *v* Combinatienaam van Wia
en Anna.
Wibe *m* (Fries) Verkorte vorm van
namen samengesteld met de Germaanse stam *wîg* (strijd) en een
tweede lid dat met *b-* begint, zoals
berht (schitterend) of *brand* (zwaard).
Wibo *m* Zie Wibe.
Wibren *m* (Fries) Samenstelling van
de Germaanse stamvormen *wîg*

(strijd) en *beran* (beer) of *brand*
(zwaard). Betekenis: "strijdbeer" of
"strijdzwaard".
Wicher *m* Samenstelling van de
Germaanse stamvormen *wîg* (strijd)
en *heri* (leger). Betekenis: "strijdleger".
Wichert *m* Samenstelling van de
Germaanse stamvormen *wîg* (strijd)
en *hard* (sterk, dapper). Betekenis:
"sterk of dapper in de strijd".
Wida *m* (Hongaars) Zie Veit.
Wide *m* (Fries) Verkorte vorm van
namen met de Germaanse stam *wîg*
(strijd), *widu* (woud, bos) of *wîdha*
(wijd, ver).
Wiebe *m* Zie Wibe.
Wiebren *m* Zie Wibren.
Wiebrig *m* Samenstellling van de
Germaanse stamvormen *wîg* (strijd)
en *berht* (schitterend). Betekenis:
"schitterend in de strijd".
Wiegand *m* (Duits) Samenstelling
van de Germaanse stamvormen *wîg*
(strijd) en *nanth* (dapper). Betekenis:
"dapper in de strijd".
Wieger *m* Zie Wicher.
Wiekert *m* Zie Wichert.
Wieland *m* (Duits) Een Germaanse
naam met als stam *weel* (kunstenaar,
kunstgreep).
Wiena *v* (Fries) Vrouwelijke vorm
afgeleid van Wine of Douwe.
Wiep *m* Zie Wibe.
Wies *m/v* Zie Alois of Lodewijk.

Wietse *m* Zie Wibe.

Wietske *v* (Fries) Zie Wide.

Wigbert *m* (Duits) Samenstelling van de Germaanse stamvormen *wîg* (strijd) en *berht* (schitterend). Betekenis: "schitterend in de strijd".

Wigberta *v* (Duits) Vrouwelijke vorm van Wigbert.

Wijnand *m* Samenstelling van de Germaanse stamvormen *wîg* (strijd) en *nanth* (dapper). Betekenis: "dapper in de strijd".

Wil *m/v* Zie Wilhelm.

Wilanka *v* Combinatienaam van Wilhelm en Anna.

Wilbert *m* Samenstelling van de Germaanse stamvormen *wilja* (wil, wens) en *berht* (schitterend). Betekenis: "schitterend door wilskracht".

Wilbur *m* (Engels) De naam zou afkomstig zijn van de Hollandse kolonisten in Amerika, uit de familienaam *Wildeboer*.

Wilco *m* Koosnaam afgeleid van namen met de Germaanse stam *wilja* (wil, wens).

Wilfred *m* Samenstelling van de Germaanse stamvormen *wilja* (wil, wens) en *frithu* (vrede). Betekenis: "de vredewillende".

Wilfried *m* (Duits) Zie Wilfred.

Wilgo *m* Zie Wilco. Of mogelijk een combinatienaam van Wilhelm en Govert.

Wilhelm *m* Samenstelling van de Germaanse stamvormen *wilja* (wil, wens) en *helm* (helm, bescherming). Betekenis: "de wilskrachtige beschermer".

Wilhelma *v* Vrouwelijke vorm van Wilhelm.

Wilhelmina *v* Vrouwelijke vorm van Wilhelm.

Wilhelmine *v* Vrouwelijke vorm van Wilhelm.

Wilja *v* Vrouwelijke vorm afgeleid van Wilhelm.

Wiljan *m* Combinatienaam van Wilhelm en Johannes.

Wiljo *m* Koosnaam afgeleid van namen met de Germaanse stam *wilja* (wil, wens). De naam kan ook worden gezien als een combinatienaam van Wilhelm en Johannes.

Wiljon *m* Zie Wiljo of Wiljan.

Wilke *v* Vrouwelijke vorm afgeleid van Wilhelm.

Willard *m* Samenstelling van de Germaanse stamvormen *wilja* (wil, wens) en *hard* (sterk, dapper).

Willem *m* Zie Wilhelm.

Willem-Jan *m* Combinatienaam van Wilhelm en Johannes.

Willemijn *v* Vrouwelijke vorm afgeleid van Wilhelm.

William *m* (Engels) Zie Wilhelm.

Willianne *v* Vrouwelijke vorm afgeleid van Wilhelm. Of combinatienaam van Wilhelm en Anna.

Willibrord *m* (Engels) Samenstelling van de Germaanse stamvormen *wilja* (wil, wens) en *brord* (punt, speerpunt). Betekenis: "de wilskrachtige speerstrijder".

Willie *m* (Engels) Zie Wilhelm.

Willo *m* Zie Wilhelm.

Willy *m/v* (Engels) Zie Wilhelm.

Wilma *v* Vrouwelijke vorm afgeleid van Wilhelm.

Wilmar *m* Samenstelling van de Germaanse stamvormen *wilja* (wil, wens) en *mâr* (vermaard). Betekenis: "vermaard om zijn wilskracht".

Wilmer *m* Zie Wilmar.

Wilrik *m* Samenstelling van de Germaanse stamvormen *wilja* (wil, wens) en *rîk* (rijk, machtig). Betekenis: "machtig door zijn wilskracht".

Wim *m* Zie Wilhelm.

Wina *v* Vrouwelijke vorm van Wine.

Winand *m* Zie Wijnand.

Winant *m* Zie Wijnand.

Wine *m* (Fries) Naar het Germaanse *win*, dat "vriend" betekent.

Winfried *m* Samenstelling van de Germaanse stamvormen *win* (vriend) en *frithu* (vrede). Betekenis: "vriend van de vrede".

Winifred *m* Zie Winnifred.

Winke *v* (Fries) Zie Wine.

Winnie *v* (Engels) Zie Winnifred.

Winnifred *v* (Engels) Afgeleid van de Welse naam **Gwenfrewi**, met als betekenis "schone, gezegende verzoening". Later werd de naam gela-

tiniseerd tot **Wenefreda** en daarna op één lijn gezet met Winfried (zie aldaar).

Winston *m* (Engels) Oorspronkelijk een plaatsnaam en een familienaam, met als betekenis "steen van Wine". Het Oudengelse *wine* betekent "vriend".

Wiro *m* Verkorte vorm van namen met de Germaanse stam *warjan* (weren, afweren).

Wisse *m* Koosnaam afgeleid van namen met de Germaanse stam *wisu* (goed) of *wîdhja* (wijd, ver).

Wivina *v* Vlaamse naam die is afgeleid van het Germaanse *wîf*, dat "gehuwde vrouw" betekent.

Wladimir *m* (Slavisch) Zie Waldemar.

Wobbe *m* (Fries) Zie Wolbert.

Wolbert *m* Samenstelling van de Germaanse stamvormen *wolf* (wolf) en *berht* (schitterend). Betekenis: "schitterende wolf".

Wolf *m* (Duits) Zie Wolfgang.

Wolfgang *m* (Duits) Samenstelling van de Germaanse stamvormen *wolf* (wolf) en *gang* (gang, wijze van gaan). Betekenis: "met de gang van een wolf".

Wolmet *v* Vrouwelijke vorm afgeleid van Welmoed.

Wolodja *m* (Slavisch) Zie Waldemar.

Wolter *m* Zie Walter.

Wout *m* Zie Walter.
Wouter *m* Zie Walter.
Wubbo *m* (Fries) Zie Wolbert.

Wybe *m* Zie Wibe.
Wytze *m* Zie Wietse.
Wälti *m* (Zwitsers) Zie Walter.

Xander *m* Zie Alexander.
Xandra *v* Vrouwelijke vorm afgeleid van Alexander.
Xandrijn *m* Zie Alexander.
Xaveer *m* Zie Xaverius.
Xaverius *m* Latijnse naam die is afgeleid van de Baskische plaatsnaam *Etxe berri* (nieuw huis).
Xavier *m* Zie Xaverius.

Xaviera *v* Vrouwelijke vorm van Xaverius.
Xavière *v* (Frans) Vrouwelijke vorm van Xavier.
Xenia *v* Griekse naam die "de gastvrije vrouw" betekent.
Xerxes *m* (Perzisch) Betekent letterlijk "dappere strijder".

𝒴

Yakima *v* (Arabisch) Vrouwelijke vorm afgeleid van Jakob.

Yalenka *v* (Slavisch) Zie Helena.

Yamina *v* Zie Yasemin.

Yanaika *v* (Slavisch) Vrouwelijke vorm afgeleid van Johannes.

Yanko *m* (Slavisch) Zie Johannes.

Yann *m* (Frans) Zie Johannes.

Yanna *v* Vrouwelijke vorm afgeleid van Johannes.

Yannai *v* (Slavisch) Vrouwelijke vorm afgeleid van Johannes.

Yannick *m/v* (Frans) Zie Johannes.

Yanniek *v* Vrouwelijke vorm afgeleid van Johannes.

Yara *v* (Slavisch) Vrouwelijke vorm afgeleid van Jaromir.

Yasemin *v* (Perzisch) Zie Jasmijn.

Yasmila *v* (Arabisch) Vrouwelijke vorm afgeleid van Jamal.

Yasmin *v* (Engels) Zie Jasmijn.

Yassir *m* (Arabisch) De naam betekent "was recht, was gelijk".

Yda *v* Zie Adelheid.

Yf *m* Keltische naam voor de taxus, in het Nederlands *ijf* genoemd. De taxus is in het christelijke geloof het symbool voor eeuwig leven.

Yfke *v* Vrouwelijke vorm van Yf.

Ylona *v* Zie Ilona.

Ylonka *v* Zie Ilona.

Ylva *v* Zie Ilva.

Yme *m* Verkorte vorm van namen met de Germaanse stam *irmin* (groot, geweldig). Mogelijk is er ook een verband met het Germaanse *îme*: "honingbij, bijenzwerm".

Ymke *v* Vrouwelijke vorm van Yme.

Yoeran *m* Zie Yoram.

Yoeri *m* (Slavisch) Zie George.

Yoica *v* Vrouwelijke vorm afgeleid van Jodocus.

Yolanda *v* Samenstelling van het Griekse *ion* (viooltje) en *anthos* (bloem). Ook **Yolande** (Frans).

Yoni *m/v* Zie Johannes of Jonathan.

Yora *v* Vrouwelijke vorm afgeleid van George.

Yoram *m* Hebreeuwse naam die "Jahweh is verheven" betekent.

Yorben *m* Zie George.

Yordi *m* (Frans) Zie George.

Yosri *m* Zie George.

Youri *m* (Slavisch) Zie George.

Yteke *v* Zie Ida.

Yul *m* (Mongools) De naam betekent letterlijk "verder dan de horizon".

Yusuf *m* (Arabisch) Zie Jozef.

Yvain *m* (Frans) Zie Johannes.

Yvan *m* (Frans) Zie Johannes.

Yvanka *v* (Hongaars) Zie Johannes.

Yvar *m* (Scandinavisch) Zie Ivar.

Yves *m* (Frans) Zie Ive.

Yvette *v* (Frans) Vrouwelijke vorm van Ive. Ook **Yvet**.

Yvo *m* Zie Ive.

Yvon *m* (Frans) Zie Ive.

Yvonne *v* (Frans) Vrouwelijke vorm van Yvon.

Z

Zacharias *m* Griekse vorm van het Hebreeuwse *sacharja*, met als betekenis "Jahweh heeft zich (mij) herinnerd".

Zacharie *m* (Frans) Zie Zacharias

Zacherry *m* (Engels) Zie Zacharias.

Zachery *m* (Engels) Zie Zacharias.

Zahra *v* (Arabisch) De naam betekent "prachtig, stralend".

Zander *m* Zie Alexander.

Zarah *v* Zie Sara.

Zebedeus *m* Bijbelse naam afgeleid van het Aramese *zabdaj*, dat "Jahweh heeft geschonken" betekent.

Zelda *v* (Engels) Zie Griselda.

Zelina *v* Zie Selena.

Zeno *m* Verkorte vorm van Griekse namen zoals **Zenodotos** of **Zenodoros**, die beide "geschenk van Zeus" betekenen.

Zenobia *v* Vrouwelijke vorm van Zenobius.

Zenobius *m* Griekse naam die "leven van Zeus" betekent.

Zenovia *v* (Slavisch) Vrouwelijke vorm van Zenobius.

Zenzi *v* (Duits) Zie Crescentia of vrouwelijke vorm afgeleid van Innocentius of Vincent.

Zerina *v* Zie Serene.

Zeva *v* Vrouwelijke vorm afgeleid van Jozef.

Zias *m* Zie Josia.

Zico *m* Zie Chico.

Zilvester *v* Vrouwelijke vorm van Silvester.

Zina *v* Zie Gezina of Klazina.

Zinnia *v* Naam van een plant die genoemd is naar Johann Gottfried Zinn (18de eeuw).

Ziska *v* (Duits) Vrouwelijke vorm afgeleid van Franciscus.

Zita *v* (Italiaans) Variant van de naam *Cita*, een verkorting van het Latijnse *felicitas*, dat "geluk, gelukkige" betekent. De naam kan ook verband houden met het Latijnse *cita*, dat "snel, gehaast" betekent.

Zlata *v* (Slavisch) Vrouwelijke vorm van Zlatan.

Zlatan *m* (Slavisch) De naam betekent "goud".

Zlatka *v* (Slavisch) Vrouwelijke vorm afgeleid van Zlatan.

Zlatko *m* (Slavisch) Zie Zlatan.

Zoe *v* (Engels) Ook **Zoé** (Frans) of **Zoë** gespeld. Naam afgeleid van het Griekse *zoè*, dat "leven" betekent. Joden gebruikten de naam als vertaling van Eva in het Grieks.

Zofia *v* (Slavisch) Zie Sofia.

Zohra *v* Zie Zora.

Zora *v* (Arabisch) De naam kan van Arabische herkomst zijn en dan betekent hij "pracht, morgenstond". Hij kan ook verband houden met de bijbelse plaatsnaam Zora.

Abdoel *m*
Abdoellah *m*
Abdul *m*
Abdulla *m*
Abdullah *m*
Ahmed *m*
Ali *m*
Almira *v*
Aroen *m*
Arun *m*

Chamo *m*
Charief *m*
Charif *m*

Emek *m*
Exan *m*

Farah *v*
Farried *m*
Fatih *m*
Fatima *v*

Hadia *v*
Hagar *v*
Hakim *m*

Hamid *m*
Haron *m*
Hassan *m*

Ibrahim *m*
Iskander *m*

Jamal *m*
Jamil *m*
Jamilla *v*
Jussuf *m*

Kadir *m*
Keriem *m*

Marvat *m*
Mistafa *m*
Moerat *m*
Moestafa *m*
Mohammed *m*
Mustafa *m*

Omar *m*
Orchan *m*
Orhan *m*

Rachid *m*
Rashid *m*
Rashida *v*

Said *m*
Saidja *v*
Selcan *v*
Serra *v*
Sevim *v*
Seyhan *m*
Sharif *m*
Suleika *v*

Taher *m*
Tahira *v*
Tariq *m*

Volkan *m*

Yakima *v*
Yasmila *v*
Yassir *m*
Yusuf *m*

Zahra *v*
Zora *v*

Adelhilde *v*
Adelinde *v*
Adelwald *m*
Ado *m*
Agi *v*
Akelei *v*
Alberich *m*
Albwin *m*
Amand *m*
Amanda *v*
Amata *v*
Andrea *v*
Anik *v*
Anneli *v*
Annelore *v*
Annina *v*
Ansgar *m*
Arieta *v*
Arietta *v*
Arnulf *m*

Barbel *v*
Bärbel *v*
Barberina *v*
Barbi *v*
Barbro *v*
Berinike *v*
Bernd *m*
Bernt *m*
Bertel *m*
Bertha *v*
Bertida *v*
Bertrada *v*
Bertrand *m*
Bertrande *v*

Bertraude *v*
Bienes *m*
Blanda *v*
Blandina *v*
Bodo *m*
Brunold *m*
Burchart *m*
Burghild *v*

Carl *m*
Carola *v*
Christa *v*
Claus *m*
Coletta *v*
Conrad *m*
Crescentia *v*

Dalila *v*
Davida *v*
Deborah *v*
Delila *v*
Detlev *m*
Detmer *m*
Diederich *m*
Diemo *m*
Dietbert *m*
Dieter *m*
Dietfried *m*
Dietgard *v*
Diethild *v*
Dietlind *v*
Dietmar *m*
Dietrich *m*
Ditmar *m*
Dittmar *m*

Dorel *v*
Doriet *v*
Dorika *v*
Dorinda *v*
Dorit *v*

Eberhard *m*
Eberta *v*
Eckart *m*
Effi *v*
Egbrecht *m*
Egmund *m*
Egon *m*
Elcke *v*
Elfi *v*
Elga *v*
Elgin *v*
Eliselore *v*
Elli *v*
Elma *v*
Emil *m*
Engbert *m*
Engelbert *m*
Erdmann *m*
Erhard *m*
Erich *m*
Erna *v*
Ewald *m*

Fedder *m*
Floria *v*
Floriaan *m*
Florian *m*
Florin *m*
Florina *v*

Franz *m*

Franzi *v*

Franziska *v*

Frerich *m*

Frido *m*

Friedel *m*

Friederike *v*

Friedrich *m*

Frika *v*

Fritz *m*

Gabi *m/v*

Gabriele *v*

Gela *v*

Gemma *v*

Georg *m*

Gerbrecht *m*

Gerfried *m*

Gerhald *m*

Gerlinde *v*

Gerte *v*

Gertrud *v*

Gila *v*

Gisa *v*

Gisela *v*

Gislind *v*

Godelinde *v*

Gotmer *m*

Gottfried *m*

Gregor *m*

Gretchen *v*

Gretel *v*

Gritt *v*

Gritta *v*

Gunda *v*

Gundolf *m*

Günter *m*

Gunther *m*

Hadwig *v*

Hanja *v*

Hanko *m*

Hannalore *v*

Hannele *v*

Hänsel *m*

Hansi *v*

Hedda *v*

Hedwich *v*

Hedwig *v*

Hedwina *v*

Hedy *v*

Heidi *v*

Heidrun *v*

Heike *v*

Heiko *m*

Heini *m*

Heino *m*

Heinrich *m*

Heinz *m*

Heinze *m*

Helmrich *m*

Helmut *m*

Herlinde *v*

Herma *v*

Hermann *m*

Hermina *v*

Herta *v*

Hertine *v*

Herwig *m*

Herwiga *v*

Herwin *m*

Hidda *v*

Hildemar *m*

Hilla *v*

Hilmar *m*

Humbert *m*

Ilsa *v*

Ilse *v*

Ingo *m*

Ingwar *m*

Irmgard *v*

Irmhild *v*

Irminbert *m*

Isa *v*

Isotta *v*

Jochen *m*

Johann *m*

Johanna *v*

Jörg *m*

Judintha *v*

Jurgen *m*

Jürgen *m*

Jurian *m*

Jürn *m*

Kai *m*

Karl *m*

Karla *v*

Kassandra *v*

Käthe *v*

Kati *v*

Klaudia *v*

Klaus *m*

Duitse namen

Konrad *m*
Kristel *v*
Kuno *m*
Kurt *m*

Landolf *m*
Leda *v*
Lene *v*
Leni *v*
Lenz *m*
Liesel *v*
Lili *v*
Lora *v*
Lorenz *m*
Ludwig *m*

Madina *v*
Mala *v*
Malchen *v*
Mali *v*
Manda *v*
Marei *v*
Margarete *v*
Mariandel *v*
Marike *v*
Marx *m*
Mattes *m*
Matti *m*
Mertel *m*
Merten *m*
Mertin *m*
Metta *v*
Michaela *v*
Michel *m*
Micheline *v*

Mirl *v*
Mitzi *v*
Monika *v*
Moritz *m*

Nando *m*
Nanna *v*
Nanne *v*
Nannina *v*
Nelli *v*
Nolde *m*

Oskar *m*
Osmar *m*
Osmund *m*
Otto *m*

Patriz *m*
Pete *m*

Raimund *m*
Raimunda *v*
Rainer *m*
Reimar *m*
Reimer *m*
Reinar *m*
Reiner *m*
Reinhard *m*
Reinharda *v*
Reinhild *v*
Reinold *m*
Rena *v*
Renate *v*
Rendel *v*
Reni *v*

Reta *v*
Richarda *v*
Rollo *m*
Rosel *v*
Rupert *m*
Ruperta *v*
Ruprecht *m*

Sefried *m*
Sieglinde *v*
Siegmar *m*
Siegmund *m*
Siggi *m*
Stasi *v*
Stephan *m*

Tilo *m*
Tobi *m*

Udo *m*
Ulf *m*
Uli *m*
Ulla *v*
Ulrich *m*
Ulrik *m*
Ulrika *v*
Ulrike *v*
Undine *v*
Ursel *v*
Ursina *v*
Uschi *v*

Valentin *m*
Vilmar *m*
Volkert *m*

Duitse namen

Volkhart *m*

Waldemar *m*
Waldo *m*
Wastel *m*
Welant *m*
Wellemina *v*

Werner *m*
Wessel *m*
Wetzel *m*
Wiegand *m*
Wieland *m*
Wigbert *m*
Wigberta *v*

Wilfried *m*
Wolf *m*
Wolfgang *m*

Zenzi *v*
Ziska *v*

Engelse namen

In deze lijst werden zowel Engelse (en Amerikaanse) als Keltische namen opgenomen. De Keltische namen zijn vooral gangbaar in Ierland, Wales en Schotland.

Abby *v*
Adrian *m*
Aileen *v*
Alan *m*
Alana *v*
Aldous *m*
Aldwin *m*
Alec *m*

Alger *m*
Alice *v*
Alicia *v*
Alissia *v*
Allan *m*
Ally *m*
Alwyn *m*
Ambrose *m/v*

Amy *v*
An *v*
Andrew *m*
Andria *v*
Andy *m/v*
Angie *v*
Ann *v*
Anthony *m*

Antony _m_
Arlene _v_
Armel _m_
Arthur _m_
Arthy _m_
Aubry _m_
Audrey _v_
Ava _v_

Baldwin _m_
Barett _m_
Barnaby _v_
Barny _m_
Barry _m_
Basil _m_
Beauty _v_
Benedic _m_
Benedict _m_
Bennet _m_
Benny _m_
Berni _m_
Bernice _v_
Berny _m_
Berthy _v_
Bertie _m_
Beryl _v_
Bess _v_
Bette _v_
Betty _v_
Bill _m_
Billy _m_
Bing _m_
Bonnie _v_
Boy _m_
Boyd _m_

Brandon _m_
Brend _m_
Brenda _v_
Brendan _m_
Brent _m_
Brian _m_
Bridget _v_
Brighid _v_
Bruce _m_
Bud _m_
Budd _m_
Buddy _m_
Burt _m_
Burton _m_

Caitlin _v_
Cameron _m_
Caran _v_
Carol _m/v_
Cary _m_
Cathleen _v_
Cathy _v_
Cecil _m_
Cecile _v_
Cedric _m_
Celia _v_
Ceri _v_
Chaline _v_
Charity _v_
Charlene _v_
Charles _m_
Charley _m_
Charlie _m_
Charline _v_
Charlotte _v_

Charly _m_
Chavon _v_
Cher _v_
Cherees _v_
Cheryl _v_
Chrissy _v_
Christ _m_
Christabel _v_
Christian _m/v_
Christopher _m_
Cilla _v_
Cilly _v_
Clarck _m_
Clarice _v_
Clemence _v_
Cleo _v_
Clif _m_
Cliff _m_
Clifford _m_
Clifton _m_
Clinton _m_
Clive _m_
Clyde _m_
Colin _m_
Conrad _m_
Crystal _v_
Cynric _m_

Daisy _v_
Dandy _m_
Danny _m/v_
Darlene _v_
Daryl _v_
Dave _m_
Davine _v_

Davy *m*
Dean *m*
Debby *v*
Deborah *v*
Debra *v*
Deirdre *v*
Dempster *m*
Denis *m*
Dennis *m*
Derrick *m*
Desmond *m*
Devin *m*
Devon *m*
Dewi *v*
Dexter *m*
Dick *m*
Dicky *m*
Dion *m*
Dionne *v*
Dolly *v*
Don *m*
Donald *m*
Donny *m*
Donovan *m*
Doreen *v*
Dorian *v*
Doris *v*
Dorith *v*
Douglas *m*
Dudley *m*
Duke *m*
Duncan *m*
Dustin *m*
Dusty *v*
Dwight *m*

Dylan *m*
Dymfna *v*
Dymphna *v*

Edgar *m*
Edith *v*
Edmund *m*
Edward *m*
Edwin *m*
Eileen *v*
Eleanore *v*
Eleonore *v*
Elfred *m*
Elgar *m*
Eliza *v*
Elly *v*
Ellymay *v*
Elma *v*
Elvis *m*
Elwin *m*
Elza *v*
Emily *v*
Emmeline *v*
Eric *m*
Erica *v*
Ernest *m*
Erol *m*
Errol *m*
Esmee *v*
Esmond *m*
Ethel *v*
Evan *m*
Eve *v*
Evy *v*
Ewan *m*

Faith *v*
Fallon *v*
Fancy *v*
Fanny *v*
Fay *v*
Faye *v*
Feargal *m*
Fenella *v*
Fergus *m*
Ferguut *m*
Fiona *v*
Florence *v*
Florrie *v*
Florry *v*
Flossie *v*
Foran *m*
Francis *m*
Franklin *m*
Franny *v*

Gabry *v*
Gaby *v*
Garret *m*
Gary *m*
Gavin *m*
Gawein *m*
Gay *v*
Genoveva *v*
Geoffrey *m*
George *m*
Geraldine *v*
Gerry *m/v*
Gerty *v*
Gilian *m*
Giselle *v*

Gladys _v_
Glenn _m/v_
Gordon _m_
Grace _v_
Graham _m_
Greg _m_
Gregor _m_
Gregory _m_
Griffin _m_
Griselda _v_
Guinevere _v_
Gwen _v_
Gwenael _m_
Gwendolyn _v_

Hamlet _m_
Happy _v_
Hardwin _m_
Hariet _v_
Harley _m_
Harold _m_
Harris _m_
Harry _m_
Harvey _m_
Harwin _m_
Hazel _v_
Helen _v_
Henry _m_
Herold _m_
Hilany _v_
Hilary _v_
Holly _v_
Horatio _m_
Howard _m_
Hubert _m_

Hugh _m_
Humphrey _m_
Humphry _m_

Ian _m_
Ike _m_
Ilva _v_
Irving _m_
Ismay _v_
Isolde _v_
Ivor _m_

Jaccoline _v_
Jacelyn _v_
Jack _m_
Jackie _v_
Jacky _v_
Jacobine _v_
Jacoline _v_
Jai _m_
Jaimy _m_
James _m_
Jamie _m/v_
Jane _v_
Janet _v_
Janice _v_
Janis _v_
Janny _v_
Jasmine _v_
Jay _m/v_
Jeff _m_
Jeffrey _m_
Jennifer _v_
Jenny _v_
Jeoffrey _m_

Jeremy _m_
Jerome _m_
Jeromy _m_
Jerrold _m_
Jerry _m_
Jesse _m_
Jessica _v_
Jessie _v_
Jevon _m_
Jill _m/v_
Jilly _v_
Jim _m_
Jimi _m_
Jimmy _m_
Joan _v_
Jocelyn _m/v_
Jody _m/v_
Joe _m_
Joel _m_
Joelle _v_
Joffrey _m_
John _m_
Johnny _m_
Jon _m_
Jonah _m_
Jones _m_
Jony _m_
Jorden _m_
Joseph _m_
Joshua _m_
Josin _m_
Jossy _v_
Joy _v_
Joyce _v_
Judy _v_

Julian *m*
Juliet *v*
Jullian *m*
July *v*
June *v*

Karlyn *v*
Kate *v*
Kathleen *v*
Kathy *v*
Kay *m*
Keith *m*
Kelly *v*
Kelvin *m*
Ken *m*
Kendra *v*
Kenneth *m*
Kenny *m*
Kenrick *m*
Kent *m*
Kester *m*
Kevin *m*
Kilian *m*
Kim *m/v*
Kimball *m*
Kimberley *v*
Kimberly *v*
Kirby *v*
Kirsty *v*
Kitty *v*
Kyle *m*

Lance *m*
Lancelot *m*
Larry *m*

Lauretta *v*
Lawrence *m*
Lee *m*
Leila *v*
Leona *v*
Leroy *m*
Les *m*
Lesley *m/v*
Leslie *m/v*
Lester *m*
Letty *v*
Levon *m*
Levy *m*
Liam *m*
Liddy *v*
Lili *v*
Lilian *v*
Lily *v*
Lincoln *m*
Linday *v*
Lindsay *m/v*
Linsey *v*
Lionel *m*
Lissy *v*
Liza *v*
Lloyd *m*
Lorena *v*
Louanne *v*
Luan *v*
Lucette *v*
Lucky *m/v*
Lucy *v*
Lulu *v*
Lynn *v*

Mabel *v*
Mack *m*
Madeline *v*
Maggie *v*
Maire *v*
Malinda *v*
Mandy *v*
Margaret *v*
Margy *v*
Marilee *v*
Marilyn *v*
Marjorie *v*
Marjory *v*
Marlo *m*
Marlon *m/v*
Martin *m*
Marvel *m*
Marvin *m*
Mary *v*
Mathew *m*
Matt *m*
Matthew *m*
Maty *v*
Maud *v*
Maureen *v*
Maurice *m*
Maximilian *m*
May *v*
Mayra *v*
Megan *v*
Meggie *v*
Melody *v*
Meredith *v*
Merith *v*
Merle *v*

Merlin *m*
Mervyn *m*
Michey *v*
Mick *m*
Mike *m*
Mildred *v*
Milly *v*
Milton *m*
Mitch *m*
Mitchel *m*
Moira *v*
Mona *v*
Morgan *m/v*
Morgana *v*
Morris *m*
Muriel *v*
Myra *v*
Myrna *v*

Namara *v*
Nancy *v*
Neal *m*
Ned *m*
Neil *m*
Nelly *v*
Nelson *m*
Nevil *m*
Nevin *v*
Nicholas *m*
Nick *m*
Nickel *m*
Nickolas *m*
Nigel *m*
Noah *m*
Norma *v*

Norman *m*

Orchid *v*
Orin *m*
Orla *v*
Osmond *m*
Otis *m*
Owen *m*

Pamela *v*
Pat *m/v*
Patrick *m*
Patty *v*
Pauleen *v*
Pauline *v*
Peggy *v*
Penelope *v*
Percy *m*
Perry *m*
Poppy *v*

Queeny *v*
Quelly *v*
Quentin *m*
Quincy *m*

Randy *m*
Ray *m*
Raymond *m*
Reginald *m*
Richie *m*
Ricky *m/v*
Riley *m*
Ringo *m*
Riordon *m*

Robin *m/v*
Rochelle *v*
Rodney *m*
Rohan *m*
Ronald *m*
Rony *m*
Rory *m*
Rosalind *v*
Rosan *v*
Rosco *m*
Rosie *v*
Rosy *v*
Rowan *m*
Rowena *v*
Roy *m*
Ruby *v*
Rusty *m/v*
Ryan *m*

Salene *v*
Sally *v*
Sandy *m/v*
Scott *m*
Sean *m*
Selina *v*
Selwin *m*
Selwyn *m*
Shana *v*
Shanna *v*
Shannon *v*
Sharene *v*
Shari *v*
Sharona *v*
Sheila *v*
Sherida *v*

Sheridan *m*
Sherry *v*
Shireen *v*
Shirley *v*
Sidney *m*
Sindy *v*
Sonny *m*
Spencer *m*
Stacey *v*
Stan *m*
Stanley *m*
Stephen *m*
Steve *m*
Stuart *m*
Sue *v*
Sue-Ann *v*
Sunny *m/v*

Tara *v*
Ted *m*
Teddy *m*
Terrance *m*

Terrenc *m*
Terry *m*
Tess *v*
Tessa *v*
Theodore *m*
Theresa *v*
Thessa *v*
Timothy *m*
Toby *m*
Tommy *m*
Trevor *m*
Tristan *m*

Vanessa *v*
Vanity *v*
Venance *v*
Vicky *v*
Vince *m*
Vincent *m*
Virgil *m*
Vivian *m/v*
Vivien *v*

Wallace *m*
Walt *m*
Wayne *m*
Wenda *v*
Wendy *v*
Wesley *m*
Whipple *v*
Wilbur *m*
William *m*
Willibrord *m*
Willie *m*
Willy *m/v*
Winnie *v*
Winnifred *v*
Winston *m*

Yasmin *v*

Zacherry *m*
Zachery *m*
Zelda *v*
Zoe *v*

Adélaïde *v*
Adèle *v*
Adolphe *m*
Adorée *v*
Adrien *m*
Adrienne *v*
Agnès *v*
Aimé *m*
Aimée *v*
Alain *m*
Alette *v*
Alexine *v*
Alexis *v*
Aline *v*
Alouette *v*
Alphonse *m*
Alphonsine *v*
Amand *m*
Amanda *v*
Amandine *v*
Amédée *m*
Amie *v*
Anatole *m*
André *m*
Andréa *v*
Andrée *v*
Angèle *v*
Angéline *v*
Angélique *v*
Annette *v*
Annick *v*
Anouchka *v*
Anouck *v*
Antoine *m*
Antoinette *v*

Ariane *v*
Ariel *m*
Arielle *v*
Aristide *m*
Arlette *v*
Armand *m*
Armande *v*
Armandine *v*
Armelle *v*
Arnaud *m*
Aubry *m*
Auguste *m*
Augustin *m*
Augustine *v*
Aurélie *v*
Axel *m*
Axelle *v*
Aymé *m*
Aymée *v*

Babette *v*
Babiche *v*
Baptiste *m*
Barnabé *m*
Barthélemy *m*
Bartholomé *m*
Basile *m*
Bastien *m*
Bastienne *v*
Baudouin *m*
Béatrice *v*
Beau *m*
Belle *v*
Bénédicte *v*
Benjamin *m*

Benjamine *v*
Bérénice *v*
Bernadette *v*
Bernardine *v*
Berthe *v*
Bertrand *m*
Bertrande *v*
Bibiche *v*
Blaise *m*
Blanche *v*
Brigitte *v*

Camille *m/v*
Candide *m/v*
Carole *v*
Catherine *v*
Cato *v*
Cécile *v*
Cédric *m*
Céleste *v*
Célestin *m*
Célestine *v*
Célie *v*
Céline *v*
Cerise *v*
César *m*
Chanel *v*
Chantal *v*
Charles *m*
Charlotte *v*
Chérie *v*
Chloé *v*
Chrétien *m*
Chrétienne *v*
Christelle *v*

Christian *m*

Christiane *v*

Christine *v*

Christophe *m*

Claire *v*

Claude *m/v*

Claudette *v*

Claudine *v*

Clément *m*

Clémentine *v*

Cléo *v*

Colette *v*

Colin *m*

Coline *v*

Colombine *v*

Constance *v*

Constant *m*

Corinne *v*

Cornélie *v*

Cyrille *m*

Damien *m*

Danièle *v*

Danielle *v*

Daphné *v*

Delphin *m*

Delphine *v*

Denis *m*

Denise *v*

Désiré *m*

Désirée *v*

Didier *m*

Dieudonné *m*

Dominique *m/v*

Dorine *v*

Dorothée *v*

Edgar *m*

Edmée *v*

Edmond *m*

Edmonde *v*

Edouard *m*

Elaine *v*

Eliane *v*

Eline *v*

Elise *v*

Eloi *m*

Eloy *m*

Emile *m*

Ernest *m*

Ernestine *v*

Esmée *v*

Estelle *v*

Etienne *m*

Etiennette *v*

Eugène *m*

Eugénie *v*

Eve *v*

Evelyne *v*

Everaud *m*

Fabien *m*

Fabienne *v*

Fabrice *m*

Félicien *m*

Félicienne *v*

Félix *m*

Fernand *m*

Fernande *v*

Ferrand *m*

Ferron *m*

Ferry *m*

Fidèle *m*

Firmin *m*

Fleur *v*

Flore *v*

Florence *v*

Florent *m*

Florentine *v*

Florine *v*

France *v*

Francine *v*

Francis *m*

Francisque *m*

François *m*

Françoise *v*

Frédéric *m*

Frédérique *m/v*

Gabrielle *v*

Gaspard *m*

Gaston *m*

Geneviève *v*

Georges *m*

Georgette *v*

Gérald *m*

Géraldine *v*

Gérard *m*

Gérardine *v*

Germain *m*

Germaine *v*

Gérôme *m*

Gervais *m*

Gervaise *v*

Ghislain *m*

Ghislaine *v*
Gilbert *m*
Gilberte *v*
Gilles *m*
Ginette *v*
Gisèle *v*
Grégoire *m*
Grégory *m*
Guido *m*
Guillaume *m*
Gustave *m*
Guy *m*

Hector *m*
Hélène *v*
Henri *m*
Henriette *v*
Hermine *v*
Hervé *m*
Hilaire *m*
Hippolyte *m*
Honoré *m*
Honorine *v*
Hortense *v*
Hubert *m*
Huberte *v*
Hugues *m*
Huguette *v*
Hyacinthe *v*

Ignace *m*
Irène *v*
Irénée *v*
Isabeau *v*
Isabelle *v*

Isidore *m*
Ivanne *v*

Jacqueline *v*
Jacques *m*
Jasmine *v*
Jean *m*
Jean-Claude *m*
Jeanine *v*
Jean-Luc *m*
Jeanne *v*
Jeannette *v*
Jean-Paul *m*
Jean-Pierre *m*
Jérémy *m*
Jérôme *m*
Jeunessa *v*
Joël *m*
Joëlle *v*
Jolie *v*
Jordi *m*
José *m*
Josée *v*
Joseph *m*
Josèphe *v*
Joséphine *v*
Josette *v*
Josiane *v*
Jules *m*
Julie *v*
Julien *m*
Julienne *v*
Juliette *v*
Justin *m*

Lancelot *m*
Laure *v*
Laurence *v*
Laurent *m*
Laurette *v*
Léon *m*
Léonard *m*
Léonie *v*
Léontine *v*
Léopold *m*
Lisette *v*
Lorraine *v*
Louis *m*
Louise *v*
Loulou *v*
Luce *v*
Lucette *v*
Lucien *m*
Lucienne *v*

Madeleine *v*
Madelon *v*
Magali *v*
Malon *v*
Manon *v*
Marc *m*
Marcel *m*
Marcelle *v*
Margaux *v*
Margot *v*
Marguerite *v*
Marianne *v*
Marie *v*
Marie-Claire *v*
Marie-Laure *v*

Marielle *v*

Marie-Louise *v*

Marietta *v*

Mariette *v*

Marinette *v*

Marion *v*

Marjolaine *v*

Marjorie *v*

Marlène *v*

Marthe *v*

Martin *m*

Martine *v*

Maryse *v*

Mathieu *m*

Maud *v*

Maurice *m*

Maxime *m*

Maximilien *m*

Maximilienne *v*

Mélanie *v*

Mercédès *v*

Merle *v*

Michel *m*

Michèle *v*

Micheline *v*

Michon *v*

Michou *v*

Mignon *v*

Mignonne *v*

Milène *v*

Milou *v*

Miloud *v*

Minette *v*

Mireille *v*

Monique *v*

Murielle *v*

Mylène *v*

Nadine *v*

Nanet *v*

Nanette *v*

Nannette *v*

Nathalie *v*

Nicolas *m*

Nicole *v*

Nicolette *v*

Ninette *v*

Noé *m*

Noël *m*

Noëlle *v*

Noémi *v*

Oberon *m*

Octave *m*

Octavie *v*

Odette *v*

Odile *v*

Odilon *m*

Ogier *m*

Olivier *m*

Omer *m*

Orly *v*

Parcifal *m*

Pascal *m*

Pascale *v*

Pascaline *v*

Patrice *m*

Patrick *m*

Paule *v*

Paulette *v*

Pauline *v*

Pénélope *v*

Pétronille *v*

Philippe *m*

Philomène *v*

Pierre *m*

Pierrette *v*

Placide *m*

Quentin *m*

Raoul *m*

Raphaël *m*

Raphaëlle *v*

Raymond *m*

Raynaud *m*

Régina *v*

Régine *v*

Rémi *m*

René *m*

Renée *v*

Roberte *v*

Robertine *v*

Rochard *m*

Rochelle *v*

Rodrigue *m*

Roland *m*

Rolande *v*

Romain *m*

Romée *v*

Roméo *m*

Rosalie *v*

Roseline *v*

Rosette *v*

Rosine *v*

Sabine *v*
Salomé *v*
Sandrine *v*
Sébastien *m*
Séraphin *m*
Séraphine *v*
Serge *m*
Serge-Paul *m*
Séverin *m*
Séverine *v*
Sibille *v*
Sidoine *m*
Sidonie *v*
Silvestre *m*
Siméon *m*
Simone *v*
Solange *v*
Sophie *v*
Stéphane *m/v*
Stéphanie *v*
Stéphen *m*
Suzette *v*
Sylvain *m*

Sylvaine *v*
Sylvestre *m*
Sylvie *v*

Térésa *v*
Théodore *m*
Thérèse *v*
Thibaud *m*
Thibaut *m*
Thierry *m*
Trinette *v*

Urbain *m*
Urielle *v*
Ursule *v*

Valentin *m*
Valentine *v*
Valère *m*
Valérie *v*
Valéry *m*
Venance *v*
Véronique *v*
Vianette *v*
Vianney *m*

Victorin *m*
Victorine *v*
Vinay *m*
Vincent *m*
Violette *v*
Virginie *v*
Vivian *m*
Viviane *v*
Vivien *m*

Xavière *v*

Yann *m*
Yannick *m/v*
Yolande *v*
Yordi *m*
Yvain *m*
Yvan *m*
Yves *m*
Yvette *v*
Yvon *m*
Yvonne *v*

Zacharie *m*
Zoé *v*

Aafje *v*
Aafke *v*
Aaltine *v*
Aartie *v*
Abe *m*
Ackelien *v*
Ade *m*
Aderik *m*
Afifa *v*
Aga *v*
Age *m*
Ake *m*
Akke *v*
Akkelien *v*
Akkie *v*
Alco *m*
Aldert *m*
Ale *m*
Alef *m*
Alert *m*
Aletta *v*
Alette *v*
Alker *m*
Allard *m*
Altina *v*
Anca *v*
Anco *m*
Ane *m*
Anjo *m*
Ankie *v*
Anko *m*
Annick *v*
Atse *m*
Atze *m*
Aue *m*

Auke *m*
Aukje *v*
Ave *m*
Ayse *m*

Baafje *v*
Baak *m*
Bake *m*
Bartele *m*
Baue *m*
Bauke *m*
Benne *m*
Berber *v*
Bernlef *m*
Bessel *m*
Betske *v*
Bindert *m*
Binne *m*
Binnert *m*
Bone *m*
Branda *v*
Brechje *v*
Brecht *m*

Dekke *m*
Diede *m*
Dieke *v*
Dieuwert *m*
Dieuwke *v*
Djoerd *m*
Dobbe *m*
Doede *m*
Douwe *m*
Duurd *m*

Ebbing *m*
Ebe *m*
Ede *m*
Edsard *m*
Edzard *m*
Eelco *m*
Egbert *m*
Eggo *m*
Eibeltje *v*
Eibert *m*
Eida *v*
Eise *m*
Elard *m*
Elbert *m*
Elco *m*
Elger *m*
Emmert *m*
Ene *m*
Ese *m*
Eska *v*
Ethia *v*
Eward *m*
Ewart *m*

Famke *v*
Fedda *v*
Fedde *m*
Fekke *m*
Femke *v*
Femme *m*
Fen *m*
Fenna *v*
Fere *m*
Ferre *m*
Feyona *v*

Fobke *v*

Fokke *m*

Folke *m*

Foppe *m/v*

Frauke *v*

Friso *m*

Frouke *v*

Frouwe *v*

Gabe *m*

Ganna *v*

Gauke *v*

Gauwe *m*

Gebbe *v*

Gelder *m*

Geldert *m*

Gele *v*

Gelle *m*

Gelmer *m*

Gepke *v*

Gerben *m*

Germ *m*

Gert *m*

Getse *m*

Gib *m*

Goesje *v*

Goos *m*

Gosse *m*

Hadde *m*

Hade *m*

Haico *m*

Haie *m*

Haje *m*

Hajo *m*

Hamme *m*

Hammy *m*

Hanke *v*

Hanne *m/v*

Harmen *m*

Harmke *v*

Hart *m*

Harte *v*

Hayo *m*

Hedzer *m*

Heinze *m*

Hermen *m*

Hester *v*

Hette *m*

Hildert *m*

Hinka *v*

Hinke *m/v*

Hinse *m*

Hiska *v*

Hisse *m*

Ibe *m*

Ide *m*

Ieme *v*

Ige *m*

Ile *m*

Ilja *v*

Ime *m/v*

Imke *v*

Imko *m*

Itske *v*

Ive *m*

Jaitse *m*

Jalle *m*

Janca *v*

Janke *v*

Japik *m*

Jard *v*

Jarich *m*

Jarka *v*

Jasper *m*

Jelco *m*

Jeldert *m*

Jelien *v*

Jella *v*

Jelle *m*

Jellis *m*

Jelmar *m*

Jelmer *m*

Jelte *m*

Jens *m*

Jenske *v*

Jerre *m*

Jerrel *m*

Jesse *m*

Jetze *m*

Jibbe *m*

Jildert *m*

Jim *m*

Jis *m*

Jisse *v*

Jissy *v*

Jitse *m*

Jitske *v*

Joere *m*

Jolke *m*

Jolle *m*

Jorik *m*

Jork *m*

Jorn *m*

Jorre *m*

Jorrit *m*

Jort *m*

Jurmen *m*

Jurrit *m*

Kars *m*

Karsten *m*

Kerstin *v*

Litse *m*

Lubke *v*

Lude *m*

Maaike *v*

Machteld *v*

Maico *m*

Mante *m*

Marije *v*

Marte *v*

Martzen *m*

Mechteld *v*

Meine *m*

Meinke *v*

Melle *m*

Menne *m*

Menno *m*

Mensje *v*

Menso *m*

Mette *m/v*

Mindert *m*

Minke *v*

Mirka *v*

Myrka *v*

Name *m*

Nienke *v*

Nynke *v*

Obe *m*

Oda *v*

Oebele *m*

Oele *m*

Olda *v*

Oldrik *m*

Pelle *m*

Poppe *m*

Reider *m*

Rein *m*

Reinbert *m*

Reindert *m*

Reitse *m*

Remco *m*

Remke *v*

Remme *m*

Renske *v*

Rienk *m*

Rinke *m/v*

Rinske *v*

Roan *m*

Rochus *m*

Rombert *m*

Saakje *v*

Sake *m*

Siard *m*

Sibert *m*

Siebe *m*

Siebert *m*

Siebo *m*

Siebrand *m*

Siebren *m*

Siet *m/v*

Sieta *v*

Sietse *m*

Sietske *v*

Sil *m*

Silke *m/v*

Sjoerd *m*

Tabe *m*

Taco *m*

Tama *v*

Tame *m*

Tebbes *m*

Tenne *m*

Tiede *m*

Tiele *m*

Ties *m*

Tila *v*

Titia *v*

Tjaard *m*

Tjaarda *v*

Tjabbe *m*

Tjabine *v*

Tjalle *m*

Tjamko *m*

Tjardo *m*

Tjebbe *m*

Tjerk *m*

Tjibbe *m*

Tonnis *m*

Friese namen

Ubbe *m*
Ulbe *m*
Ulco *m*

Wabe *m*
Walda *v*
Waldo *m*

Wander *m*
Wessel *m*
Wia *v*
Wibe *m*
Wibren *m*
Wide *m*
Wiena *v*

Wietske *v*
Wine *m*
Winke *v*
Wobbe *m*
Wubbo *m*

Hongaarse namen

Alajos *m*
Alena *v*
Andica *v*
Andor *m*
András *m*
Antal *m*
Aranka *v*
Arnika *v*
Arniko *m*

Bambi *v*
Bela *m*
Bernát *m*

Cintia *v*

Dános *m*
Demko *m*
Denes *m*

Doman *m*

Elek *m*

Fabó *m*
Fanni *v*
Ferenc *m*
Ferike *v*
Filko *m*
Flóris *m*
Fóris *m*
Franciszka *v*
Frigyes *m*
Fülöp *m*

Gábor *m*
Gellert *m*
Geza *m*
György *m*

Gyula *m*

Ilka *v*
Ilona *v*
Ilonka *v*
Ilu *v*
Iluska *v*
Imre *m/v*
Inka *v*
István *m*

Janco *m*
Janka *v*
Janko *m*
Jano *m*
Janos *m*
Jelja *v*
Jenö *m*
Julischka *v*

Juliska *v*
Julka *v*

Kalman *m*
Karoly *m*
Kata *v*
Katalin *v*
Katalina *v*
Katalyn *v*
Katinka *v*

Lajos *m*
László *m*
Laurencia *v*
Lázár *m*
Lörinc *m*

Magdolna *v*
Mara *v*
Margit *v*

Margita *v*
Mari *v*
Marieka *v*
Maris *v*
Mariska *v*
Marka *v*
Mártoni *m*
Mihaéla *v*
Mihály *m*
Miklós *m*

Nándor *m*

Orsolya *v*

Pál *m*
Petö *m*
Piroschka *v*

Rezso *m*

Romika *v*
Rosika *v*

Sándor *m*
Szabina *v*
Szilárd *m*

Tamás *m*
Terézie *v*
Terka *v*
Tibor *m*

Vilma *v*
Vilmos *m*

Wida *m*

Yvanka *v*

Indische namen

Adinda *v*
Amit *m*
Anitya *v*

Ceylan *m*

Goan *m*

Indira *v*
Indra *m/v*

Mitra *v*

Radjen *m*
Radjoe *m*
Rafiq *m*

Sawan *m*
Sunanda *v*
Suraya *v*
Surinde *v*

Tantra *v*

Varsha *v*

Wanita *v*
Warsha *v*

Italiaanse namen

Adolfo *m*
Adriano *m*
Agnola *v*
Aida *v*
Alda *v*
Aldo *m*
Alessandra *v*
Alessandro *m*
Alessio *m*
Aloisio *m*
Alto *m*
Ambrogio *m*
Ambrosio *m*
Anastasio *m*
Angelico *m*
Angelina *v*
Angelo *m*
Anita *v*
Antonello *m*

Antonio *m*
Aria *v*
Arianna *v*
Armando *m*
Arnaldo *m*
Augosto *m*
Aurelio *m*
Azzo *m*

Bambina *v*
Bartolomeo *m*
Bastiano *m*
Basto *m*
Battista *m*
Beatrice *v*
Bella *v*
Benedetta *v*
Benedetto *m*
Benito *m*

Benso *m*
Bernardino *m*
Bernardo *m*
Betto *m*
Bianca *v*
Bianco *m*
Bosco *m*
Brogio *m*
Brunone *m*

Carlo *m*
Carlotta *v*
Carmela *v*
Chiara *v*
Christoforo *m*
Cinzia *v*
Claudio *m*
Constantino *m*
Corrado *m*

Daniella *v*
Dario *m*
Davide *m*
Domenica *v*
Domenico *m*
Donato *m*
Donna *v*
Doriano *m*
Dorotea *v*

Edmondo *m*
Edoardo *m*
Edwige *v*
Egidio *m*
Elena *v*
Eliano *m*
Elisabetta *v*
Elmo *m*
Emilia *v*
Emilio *m*
Enrico *m*
Enzio *m*
Erasmo *m*
Ermanno *m*
Ermino *m*
Ernesto *m*
Estella *v*
Estrelle *v*
Eugenio *m*
Ezzo *m*

Fabiano *m*
Fabio *m*
Fausto *m*
Fedderi *m*

Federica *v*
Federico *m*
Felice *m*
Fernando *m*
Filiberto *m*
Filippa *v*
Filippo *m*
Fioretta *v*
Flavio *m*
Francella *v*
Francesca *v*
Francesco *m*
Franco *m*

Gabriella *v*
Gabriello *m*
Gabrio *m*
Gaddo *m*
Galdo *m*
Gaspare *m*
Gasparo *m*
Gerardo *m*
Geronimo *m*
Giacobbe *m*
Giacomo *m*
Gian *m*
Gianna *v*
Gianni *m*
Gigi *v*
Gilda *v*
Gina *v*
Ginevra *v*
Gino *m*
Gioachino *m*
Giona *m*

Giorgio *m*
Giovanna *v*
Giovanni *m*
Giraldo *m*
Gismonda *v*
Gismondo *m*
Giuglio *m*
Giulia *v*
Giuliano *m*
Giulietta *v*
Giuseppe *m*
Goffredo *m*
Gregorio *m*
Gualtieri *m*
Gualtiero *m*
Guarniero *m*
Guernard *m*
Gugliermina *v*
Guglielmo *m*

Imelda *v*
Isabella *v*

Lauretta *v*
Leonardo *m*
Leone *m*
Leopoldo *m*
Liliana *v*
Lionardo *m*
Lippo *m*
Lorenza *v*
Lorenzo *m*
Loreto *m*
Lucio *m*
Luglio *m*

Luigi *m*

Maddalena *v*
Madelena *v*
Madonna *v*
Mafalda *v*
Mano *m*
Manolito *m*
Manuele *m*
Marcello *m*
Marco *m*
Margherita *v*
Mariella *v*
Marietta *v*
Mariette *v*
Marina *v*
Marinelle *v*
Marino *m*
Mario *m*
Marise *v*
Marita *v*
Martino *m*
Matteo *m*
Mauricio *m*
Mela *v*
Micaela *v*
Michele *m*
Mirella *v*
Mona *v*

Nana *v*
Niccolò *m*
Nicola *m*
Nicolo *m*
Norina *v*

Octavio *m*
Oddo *m*
Olinda *v*
Oliviero *m*
Orlando *m*
Orsola *v*
Ortensia *v*

Paola *v*
Paoline *v*
Paolo *m*
Pascual *m*
Pasquale *m/v*
Patricio *m*
Patrizio *m*
Peppo *m*
Pernella *v*
Petronella *v*
Petronilla *v*
Pier *m*
Piera *v*
Pierina *v*
Pietro *m*
Poldo *m*

Rachele *v*
Raffaelo *m*
Raimondo *m*
Remo *m*
Renata *v*
Renato *m*
Reno *m*
Renzo *m*
Ricca *v*
Riccarda *v*

Riccardo *m*
Ricco *m*
Rico *m*
Ridolfo *m*
Rienzo *m*
Rinaldo *m*
Robertino *m*
Roberto *m*
Rocco *m*
Rodolfo *m*
Rodrigo *m*
Rodrigue *m*
Rolando *m*
Romano *m*
Romeo *m*
Rosalia *v*
Rosella *v*
Rudolfo *m*

Sabina *v*
Sandro *m*
Santino *m*
Sebastiano *m*
Sergino *m*
Sergio *m*
Servazio *m*
Servio *m*
Siegmona *v*
Sigismonda *v*
Sigismondo *m*
Silvano *m*
Silvina *v*
Silvio *m*
Simonetta *v*
Sisto *m*

Italiaanse namen

Stanislao *m*
Stefano *m*
Susa *v*

Taziana *v*
Tebaldo *m*
Teobaldo *m*
Teodora *v*
Theodoro *m*
Tomaso *m*
Tommaso *m*
Tonio *m*

Tosca *v*

Ugolino *m*
Umberto *m*
Ursio *m*

Valente *m*
Valentino *m*
Valerio *m*
Vicco *m*
Vico *m*
Viggio *m*

Vincente *m*
Vincenzo *m*
Violetta *v*
Virna *v*
Vitto *m*
Vittore *m*
Vittorino *m*
Viviano *m*

Zita *v*

Portugese namen

Bibiana *v*
Bibieno *m*

Duarte *m*

Emanuel *m*

Fernandez *m*

Isabel *v*

Jaime *m*
Jametta *v*

Malou *v*
Malu *v*
Miguel *m*

Miguela *v*

Ninja *v*

Rodrigue *m*

Scandinavische namen

In deze lijst vindt u behalve Zweedse, Noorse en Deense namen ook enkele Finse namen. Ze zijn aangegeven met (F).

Abelone *v*
Äbi *m*
Agda *v*
Agna *v*
Aksel *m*
Alla *v*
Anders *m*
Ania *v*
Anika *v*
Anina *v*
Annelie *v*
Annelin *v*
Annemaj *v*
Annika *v*
Arne *m*
Arvid *m*
Astrid *v*
Axel *m*

Barbra *v*
Bengt *m*
Bengta *v*
Bent *m*
Bente *v*
Berit *v*
Bertil *m*
Bibi *v*
Birgit *v*
Birgita *v*
Birgitta *v*
Birte *v*
Bisch *m*

Bjarne *m*
Bjorn *m*
Bodil *v*
Brita *v*
Britt *v*

Dagmar *v*
Dagny *v*
Dagomar *m/v*
Detlof *m*
Dyveke *v*

Edvard *m*
Eirik *m*
Elin *v*
Elna *v*
Emil *m*
Esper *m*
Evan *m*

Fagmar *v*
Fredrik *m*
Frithjof *m*

Gerton *m*
Gilla *v*
Goesta *m*
Gunder *m*
Gunnar *m*
Gusta *v*

Haakon *m*

Hakan *m*
Hakon *m*
Harald *m*
Hedvig *v*
Helga *v*
Henrik *m*
Holger *m*

Ilian *m*
Inga *v*
Inge *v*
Ingeborg *v*
Ingemar *m*
Inger *v*
Ingerid *v*
Ingjeborg *v*
Ingmar *m*
Ingrid *v*
Ingvar *m*
Ingwer *m*
Ivar *m*
Iven *m*

Janik *m*
Jens *m*
Jensine *v*
Jessika *v*
Jitka *v*
Jokum *m*
Jon *m*
Jonna *v*
Juhana *v* (F)

182

Scandinavische namen

Juhani *m* (F)
Jussi *m* (F)
Jutta *v*
Jytte *v*

Kaarina *v* (F)
Kaj *m*
Karen *v*
Kari *v*
Karin *v*
Karina *v*
Karol *m*
Kerstin *v*
Kirsten *v*
Kirstin *v*
Knud *m*
Knut *m*
Konni *m* (F)
Kristian *m*
Kristina *v*
Kristine *v*

Lale *v*
Lars *m*
Larsina *v*
Las *m*
Lasse *m*
Laurens *m*
Laurense *v*
Lauri *m*
Laurids *m*
Laurine *v*
Lavrans *m*
Lennart *m*
Liv *v*

Maaren *m*
Madel *v*
Magdelone *v*
Magli *v*
Maj *v*
Majlen *v*
Malene *v*
Malin *v*
Maren *v*
Margit *v*
Marit *v*
Maritte *v*
Marten *m*
Mats *m*
Mickel *m*
Mie *v*
Mikael *m*
Mikala *v*
Mikel *m*
Mirja *v*
Morten *m*

Naima *v*
Naimi *v*
Niels *m*
Nils *m*
Nykle *m*

Odin *m*
Ola *m*
Olaf *m*
Ole *m*
Olof *m*
Oluf *m*
Oscar *m*

Paavo *m* (F)
Peder *m*
Peer *m*
Pelle *m*
Per *m*
Poul *m*

Ragna *v*
Ragnar *m*
Randi *v*
Reurik *m*
Rickard *m*

Sagga *v*
Sassa *v*
Sigga *v*
Sigri *v*
Sigrid *v*
Sigurd *m*
Sika *v*
Siri *v*
Solveig *v*
Sören *m*
Stein *m*
Steina *v*
Stellan *m*
Sten *m*
Susen *v*
Sven *m*
Svend *m*
Sverre *m*
Swen *m*
Sylvi *v*
Sylvia *v*

Scandinavische namen

Taina _v_ (F)
Tammes _m_
Teodor _m_
Thorold _m_
Thorstein _m_
Thorsten _m_

Thorwald _m_
Thyra _v_
Tomas _m_
Torstein _m_
Toste _m_
Totte _m_

Vanja _v_

Yvar _m_

Slavische namen

In deze lijst vindt u namen uit de landen met Slavische talen: Rusland, Polen, Tsjechië, Slovakije, Bulgarije, ex-Joegoslavië...

Agascha _v_
Akim _m_
Akulina _v_
Alene _v_
Alexej _m_
Alisa _v_
Alissa _v_
Alja _v_
Aljoscha _m_
Ana _v_
Anastasia _v_
Anatolij _m_
Andreane _v_
Andrej _m_
Andrejana _v_
Andruscha _m_
Aniela _v_
Anja _v_
Anjo _m_

Anjuschka _v_
Anjuta _v_
Anka _v_
Anninka _v_
Antek _m_
Antonin _m_
Antonina _v_
Anuschka _v_
Arka _v_
Asha _v_
Asja _v_

Basia _v_
Blazek _m_
Bohuslaw _m_
Bojoura _v_
Boleslaw _m_
Boris _m_
Branko _m_

Casimir _m_
Christo _m_

Dana _v_
Dania _v_
Danilo _m_
Danja _v_
Danouta _v_
Danuta _v_
Darja _v_
Dimitri _m_
Diwis _m_
Doma _v_
Donka _v_
Dorota _v_
Dota _v_
Dragomira _v_
Dunja _v_

184

Ela *v*

Fabijan *m*
Fedor *m*
Feliks *m*
Feodor *m*
Feodora *v*
Feodosi *m*
Feodosia *v*
Filipa *v*
Fjodor *m*
Fjodora *v*
Franciska *v*
Franek *m*
Franeka *v*
Franja *v*
Fryderyk *m*

Galina *v*
Gawril *m*
Genrich *m*
Grigorij *m*
Grischa *m*

Hanka *v*
Henryk *m*

Igor *m*
Ika *m*
Ilja *v*
Ilya *m*
Irena *v*
Irina *v*
Irka *v*
Ivana *v*

Ivanka *v*
Iwan *m*

Jacub *m*
Jacubowski *m*
Jadwiga *v*
Jadwige *v*
Jana *v*
Janaika *v*
Janek *m*
Janika *v*
Janina *v*
Janita *v*
Janka *v*
Janko *m*
Jannai *m*
Januska *v*
Jara *m/v*
Jaro *m*
Jaromir *m*
Jaroslav *m*
Jascha *m*
Jekaterina *v*
Jelena *v*
Jelinka *v*
Jendrik *m*
Jero *m*
Jerzy *m*
Jindrich *m*
Jiri *m*
Jiry *m*
Joakim *m*
Joanna *v*
Joeri *m*
Josip *m*

Josja *m*
Jossip *m*
Józef *m*
Juri *m*

Katarzyna *v*
Katina *v*
Katinka *v*
Katja *v*
Katjuschka *v*
Katjusja *v*
Katrischa *v*
Kostja *m*
Kyra *v*
Kyrill *m*

Ladislaus *m*
Lara *v*
Larissa *v*
Lavrentj *m*
Lena *v*
Lenka *v*
Lisenka *v*
Ludmilla *v*
Ludowika *v*
Ludviga *v*
Ludwika *v*
Lukasz *m*
Lukja *m*

Madelina *v*
Madlenka *v*
Magdelina *v*
Maika *v*
Malenka *v*

Manja *v*
Manjek *m*
Mano *m*
Manuil *m*
Mara *v*
Marcha *m*
Marcin *m*
Marek *m*
Marfa *v*
Margarita *v*
Margo *v*
Marianka *v*
Maric *m*
Marija *v*
Marinka *v*
Marja *v*
Marjenka *v*
Marya *v*
Mascha *v*
Maschinka *v*
Masha *v*
Mela *v*
Melana *v*
Meri *v*
Merik *m*
Micha *m*
Michail *m*
Michal *m*
Michalina *v*
Mihaela *v*
Mihala *v*
Mikola *m*
Mila *v*
Milan *m/v*
Mile *m*

Milena *v*
Milko *m*
Minka *v*
Mischa *m*
Mitja *m*

Nadja *v*
Nanja *v*
Nastasja *v*
Natalija *v*
Natascha *v*
Nicolai *m*
Nikita *m/v*
Nikolai *m*
Nina *v*

Olga *v*
Ossip *m*

Pavla *v*
Pawel *m*
Pes *m*
Petar *m*
Petr *m*
Petroeska *v*
Petruschka *v*
Piotre *m*
Pjotr *m*
Priska *v*

Radek *m*
Raisa *v*
Rimski *m*
Romek *m*

Sacha *m/v*
Sachar *m*
Sanja *m/v*
Sascha *m/v*
Semjon *m*
Sergej *m*
Sima *m*
Sonja *v*
Sownja *v*
Stanislaw *m*
Stefanida *v*
Stenka *m*
Stepan *m*
Stepka *m*
Stepko *m*
Susanka *v*

Tamara *v*
Tasja *v*
Tatiana *v*
Terezie *v*
Timofej *m*
Toma *m*
Tomás *m*

Uljana *v*

Vaclav *m*
Valeska *v*
Vasil *m*
Vera *v*
Veruschka *v*
Vigelmina *v*
Vilem *m*
Vilema *v*

Slavische namen

Vilgelm *m*
Vit *m*
Vitja *m*
Vladimir *m*

Wanda *v*
Wanja *m*
Wassili *m*
Wazlav *m*

Wenceslaus *m*
Wladimir *m*
Wolodja *m*

Yalenka *v*
Yanaika *v*
Yanko *m*
Yannai *v*
Yara *v*

Yoeri *m*
Youri *m*

Zenovia *v*
Zlata *v*
Zlatan *m*
Zlatka *v*
Zlatko *m*
Zofia *v*

Spaanse namen

Agnola *v*
Alba *v*
Alejandra *v*
Angelina *v*
Arabel *v*
Arabella *v*
Arabelle *v*
Armando *m*

Bella *v*
Benedicto *m*
Benita *v*
Benito *m*
Blanca *v*
Bonita *v*
Brigida *v*

Carlos *m*
Carlota *v*

Carmen *v*
Carmina *v*
Catalina *v*
Celia *v*
Che *m*
Chico *m*
Chiquita *v*
Concepción *v*
Conchita *v*

Diego *m*
Dolores *v*
Domingo *m*
Donato *m*
Dorotea *v*

Elmira *v*
Elvira *v*
Emilia *v*

Emilio *m*
Ernesto *m*
Esmeralda *v*
Estéban *m*
Estella *v*
Estévan *m*
Estrella *v*
Estrelle *v*
Eugenio *m*
Evita *v*

Federigo *m*
Felicitas *v*
Felipa *v*
Felipe *m*
Fernandez *m*
Fernando *m*
Floretta *v*
Francisco *m*

Franco *m*

Gaddo *m*
Galdo *m*
Gerardo *m*
Gil *m*
Ginebra *v*
Gracia *v*
Gregorio *m*
Guillerma *v*
Guillermo *m*
Gustavo *m*

Inés *v*
Inez *v*
Isabel *v*
Isabella *v*

Jacinth *v*
Jacintha *v*
Jago *m*
Jaime *m*
Jametta *v*
Jeronimo *m*
Joaquim *m*
Joaquin *m*
Jorge *m*
José *m*
Juan *m*
Juana *v*
Juanita *v*
Juanito *m*
Julio *m*

Lola *v*

Lolita *v*
Luis *m*

Madelena *v*
Malou *v*
Malu *v*
Manolo *m*
Manuel *m*
Manuela *v*
Marcos *m*
Margarita *v*
Marica *v*
Marihuela *v*
Maris *m*
Maro *m*
Martino *m*
Mateo *m*
Mela *v*
Mercedes *v*
Miguel *m*
Miguela *v*
Ming *m*
Morillo *m*
Murillo *m*

Nicolás *m*
Noury *m*
Nuria *v*

Paablo *m*
Pablo *m*
Paco *m*
Paloma *v*
Pancha *v*
Panchita *v*

Pancho *m*
Pascual *m*
Pedro *m*
Pepe *m*
Pepita *v*
Placido *m*

Quico *m*
Quita *v*

Ramón *m*
Ramona *v*
Raquel *v*
Raul *m*
Rica *v*
Ricarda *v*
Ricardo *m*
Roche *m*
Rodrigue *m*
Roque *m*
Roselita *v*
Rosita *v*

Salvador *m*
Sancha *v*
Sancho *m*
Savina *v*
Segio *m*

Tania *v*
Teresa *v*
Tomas *m*
Tonio *m*

Ursola *v*

In Zwitserland worden vier talen gesproken: Duits, Frans, Italiaans en Retoromaans, dat verscheidene dialecten groepeert. Hier vindt u enkele typisch "Zwitserse" namen.

Basch *m*
Bascho *m*
Bastia *m*

Enz *m*
Enzeli *m*

Göpf *m*

Heidi *v*

Jobbi *m*
Jockel *m*
Jocki *m*
Joggi *m*

Loris *m*

Orsch *v*
Orscheli *v*

Ruedi *m*

Ueli *m*

Veronia *v*
Vreni *v*

Wälti *m*

Deze uitgave: Deltas, België-Nederland.
D-MCMXCIV-0001-369
NUGI 502
Gedrukt in België.